日本の死角

現代ビジネス 編

講談社現代新書

2703

はじめに

日本とは、いまだ謎に満ちた国である。

国のかたちや制度が劇的に変わることはなく旧態依然のままで、問題も山積している。


では、いま何が必要なのか。

それは、さまざまな謎や論点を正しく捉え、私たちが当たり前だと思っている強固な常識や固定観念をときほぐし、問いなおすことである。

「なぜ」や「そもそも」からこの国や時代を見ていくことで、事態をより深く理解することができるだろう。


そもそも日本は「集団主義」なのか？

なぜ日本はここまで「衰退」してしまったのか？

なぜ若者は「結婚」しなくなったのか？

なぜ日本人は「移動」しなくなったのか？
なぜ日本の学校から「いじめ」がなくならないのか？
なぜ日本で「死後離婚」と「夫婦別墓」が増えたのか？
そもそも「差別」とは何か？

なんとなく「こうなのではないか」という理由が頭に浮かぶかもしれない。日本人が集団主義というのは、ルース・ベネディクト『菊と刀』をはじめ数々の日本人論で書かれていることではないか――。

コロナ禍のせいで、日本人は移動しなくなったのだ――。

しかし、じつは、科学は「日本人＝集団主義」を否定しているし、日本人はコロナ禍以前から移動しなくなっている。

私たちは、間違った常識や先入観のもとで問題を思考し、答えを導き出してしまうことがある。そうだとしたら、時に答えを出すよりも、私たちが見えなかった・見てこなかった「日本の死角」とも言える論点や問いを掘り下げ、再考することこそが重要である。

本書に収録するのは、講談社「現代ビジネス」に掲載された論考である。2010年に創刊した現代ビジネスは、月間閲覧数が4億ページビューを超えたことがある日本最大級のビジネスメディアだ。日々、第一線あるいは気鋭のジャーナリストや学者らが、時宜にかなったテーマについて、問題の構造や核心を突く文章を寄せている。

本書では、日本人論や若者の生態、失われた30年、教育、地方、暮らし、差別……これまで何度も語られてきたような問題から最新のテーマまで、シャープかつコンパクトな論考16本を掲載する（初出時から最低限の加筆修正をおこなっている）。どれを読んでも、新しい視点を得られるはずだ。

いま日本はどんな国なのか？

私たちはどんな時代を生きているのか？

これまで意外と見えていなかった日本という国、そして日本人の「謎と難題」を見ていこう。

現代ビジネス編集部

目次

私が「美しい」と思われる時代は来るのか？
〝褐色肌、金髪、青い眼〟のモデルが問う――

シャラ ラジマ（モデル）

「日本人は集団主義」という幻想

高野陽太郎（認知心理学者）

1950年東京生まれ。フルブライト奨学生としてアメリカに留学、Cornell大学で博士号を取得。Virginia大学専任講師、早稲田大学専任講師、東京大学教授を経て、現在、東京大学名誉教授・明治大学サービス創新研究所客員研究員。著書に、『傾いた図形の謎』（東京大学出版会）、『鏡の中のミステリー』（岩波書店）、『心理学研究法』（共著、有斐閣）、『「集団主義」という錯覚』（新曜社）、『認知心理学』（放送大学教育振興会）、『鏡映反転――紀元前からの難問を解く』（岩波書店）、『日本人論の危険なあやまち』（ディスカヴァー・トゥエンティワン）など。

初出：「現代ビジネス」2017年8月8日掲載

「日本人は個性がない」
「日本人は、和を乱すまいとして、みな同じように行動する」

ほんとうだろうか?

まわりの日本人を見わたしてみよう。「自己チュー」や「へそまがり」、「空気が読めない人」はいないだろうか? 引っこみ思案、目立ちたがり屋、瞬間湯沸かし器、一言居士……いろいろな人が居はしないだろうか?

しかし、「日本人は、みな同じように考え、同じように行動するので、個性がない」というのは、今や世界の「常識」なのである。

「日本人は、集団の和を何よりも大切にするので、集団と一体化しようとするあまり、自分というものをなくしてしまっているのだ」——そう日本人論は繰りかえし説いてきた。

だが、科学的な研究は、この「常識」を真っ向から否定しているのである。

薄弱な根拠

そもそも、「日本人は集団主義」という「常識」は、科学的な研究から出てきたわけではない。

その「証拠」とされてきたのは、ほとんどが個人的な体験や伝聞、ことわざなどの「事例」にすぎない（参照：杉本良夫＆ロス・マオア『日本人は「日本的」か』）。

たとえば、「出る杭は打たれる」ということわざ。「日本人の集団主義」の象徴として頻繁に引用されてきた。英語の学術論文にまで登場する。

しかし、ことわざといっても、さまざまである。なかには正反対のことわざもある。「出る杭は打たれる」のかわりに、「憎まれっ子世にはばかる」とか「先んずれば人を制す」とかいったことわざを持ちだせば、「日本人は個人主義のエゴイストだ」という主張を「証明する」ことだってできるだろう。

「事例」は、好き勝手に選べば、どんな主張でも「証明する」ことができる。

だから、「日本人は……」というような議論をするためには、「事例」に頼るのではなく、きちんとした比較をしてみなければならない。たとえば、「世界でいちばん個人主義的」というのが通り相場になっているアメリカ人との比較を。

「きちんとした比較」をするためには、同じような人たちを同じような場面で比較する必要がある。

なぜ「同じような人たち」なのか？　――身長１９３㎝の大谷翔平と身長（一説には）

170cmのトム・クルーズを比較して、「日本人のほうがアメリカ人より背が高い」と結論できるだろうか？　もちろん、できない。

「平均的な日本人」と「平均的なアメリカ人」とか、「20歳の日本人男子」と「20歳のアメリカ人男子」とか、いずれにしても、「同じような人たち」を比較する必要がある。

なぜ「同じような場面」なのか？　——男子100メートル走の世界記録をもっているウサイン・ボルト選手がジョギングをしているところと、桐生祥秀選手や山縣亮太選手がレースで走っているところを比較して、「日本人のほうがジャマイカ人より足が速い」と結論できるだろうか？　もちろん、できない。

当然のことながら、「同じような場面」、たとえばレースでのタイムを比較する必要がある。

科学的な国際比較研究の結果は？

近年、心理学では、集団主義・個人主義をめぐって、「同じような人たち」を「同じような場面」で比較した国際比較研究が数多くおこなわれてきた。そういう研究の結果はどうなっているのだろうか？

そういった研究には、二つの種類がある。調査研究と実験研究である。

調査研究では、調査用紙を配って、そこに印刷してあるいくつもの質問に答えてもらう。「同じような場面」は、その質問によって設定されている。

たとえば、「あなたが忙しいとき、職場の同僚が1週間かかる仕事を手伝ってほしいと頼んできたとしたら、どれぐらい手伝いますか？」

「①1日も手伝わない」から「⑤7日間手伝う」まで、五つの選択肢を用意して、それぞれの国の「同じような人たち」にどれかを選んでもらう。最初の「①1日も手伝わない」を選べば「非常に個人主義的」、「④6日間手伝う」を選べば「かなり集団主義的」ということになる。

たくさんの質問への答えを平均して、その人たちがどれぐらい個人主義的なのか、どれぐらい集団主義的なのかを推定するわけである。

一方、実験研究では、実験室に来た人たちに、なにか課題をやってもらい、そのときの行動を観察する。

たとえば、「同調行動」の実験では、ひとりで答えれば、まず間違いっこないような簡単な課題に答えてもらう。しかし、じっさいには、その課題に、ひとりではなく、ほかの何人もの被験者と一緒に答えてもらう。

じつは、その「ほかの何人もの被験者」は、みな「サクラ」なのである。かれらは、ときどき、全員そろって、あきらかに間違った答えを言う。そのとき、ほんとうの被験者はどう答えるか？　——それを観察するのである。

もし、被験者が皆に合わせて、そのあきらかに間違った答えを言ったとしたら、「集団に同調した」ということになる。自分の判断をねじ曲げてでも集団に合わせるという「同調」は、まさしく「集団主義」の核心である。

この実験は、最初、「世界でいちばん個人主義的」といわれてきたアメリカ人を被験者にしておこなわれた。

何回、同調をしたか、その割合を示す「同調率」は、37％だった。その後、同じ方法で八つの実験がおこなわれたが、「同調率」の平均は25％だった。

では、「世界でいちばん集団主義的」といわれてきた日本人の「同調率」は何％なのだろうか？　当然、アメリカ人の「同調率」より遥かに高いにちがいない。

ところが、日本人を被験者にして同じ方法でおこなった五つの実験をしらべてみると、「同調率」の平均は25％にすぎなかったのである。驚いたことに、アメリカ人と変わりが

どちらの方が集団主義的?

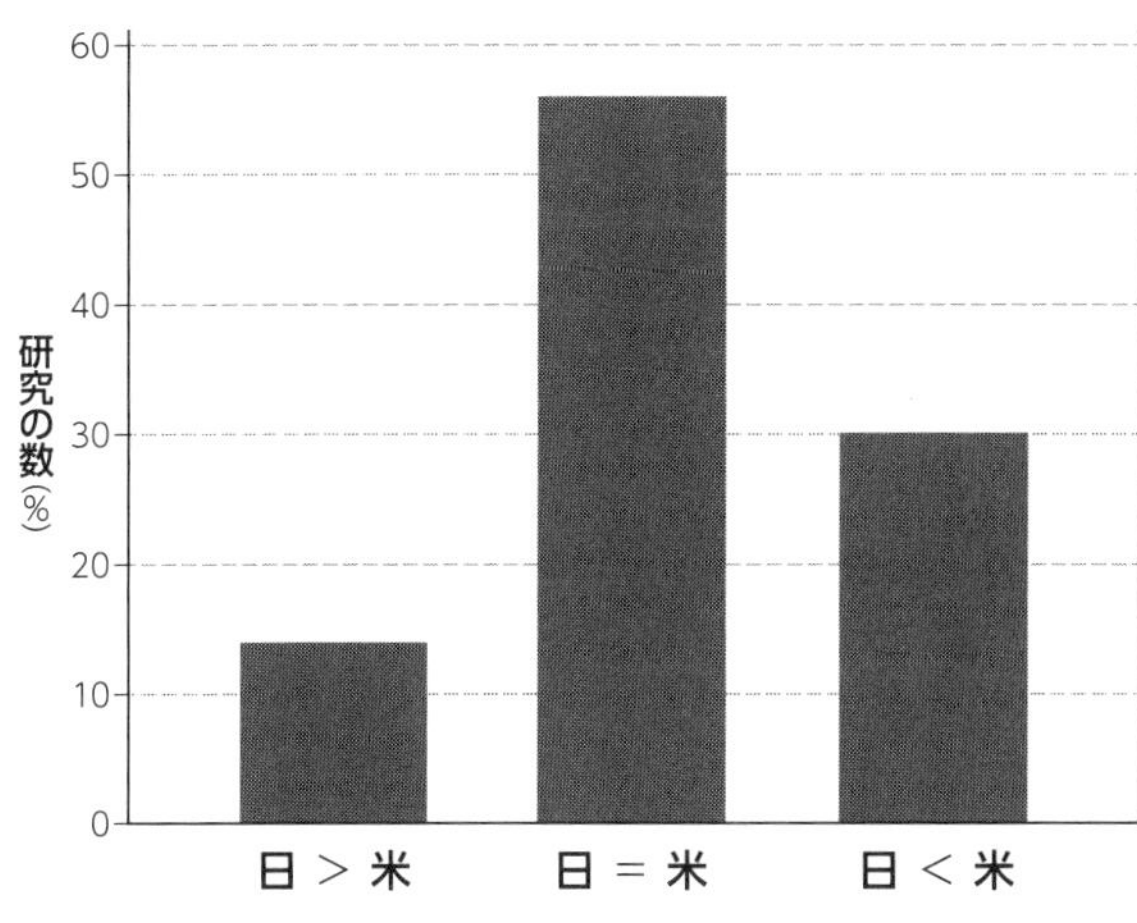

ない。日本人は、特別に集団に迎合しやすいというわけではないのである。

日本人をアメリカ人と比較した研究は、こうした同調行動の実験をはじめとして、調査研究も含めると、全部で43件見つかった。それらの研究の結果をまとめると、グラフのようになる。

「常識」に反して、「日本人とアメリカ人のあいだには差がなかった」という研究がいちばん多くて24件。「常識」とは逆に、「アメリカ人のほうが集団主義」という研究が、なんと13件もあった。

「常識」どおり、「日本人のほうが集団主義」という研究は6件しかなかった。

科学的な方法できちんと比較をしてみ

ると、日本人は、「世界でいちばん個人主義的」という定評のあるアメリカ人と比べても、特に集団主義的というわけではないのである。

科学的な比較研究の結果がこう出ている以上、「日本人は集団主義」という「常識」は、間違いだったと考えざるをえない。

「日本人は集団主義」説の始まり

では、なぜ間違った「常識」ができあがってしまったのだろうか？

この「常識」の淵源をたどっていくと、パーシヴァル・ローウェルというアメリカ人に行きあたる。ボストンの資産家の息子で、「火星の表面に見える縞模様は、火星人が掘った運河だ」という説を唱え、有名になったアマチュア天文家である。

このローウェルが、明治時代の日本にやってきて、日本をテーマにした『極東の魂』という本を書いた。ラフカディオ・ハーン（小泉八雲）はこの本を読んで感激し、それが日本に来るきっかけになったというから、かなり影響力の強い本だったのだろう。

この『極東の魂』のなかで、ローウェルは「日本人には個性がない」と繰りかえし主張しているのである。なぜローウェルはそう主張したのか？

ローウェルがこの本を書いたのは、日本に来て日本語を学びはじめてから、1年ほどにしかならない時期である。だから、日本人について、ずいぶん珍妙なことも書いている。「日本人には個性がない」という主張は、日本人についての正確な観察から出てきたわけではないのである。

この主張は、おそらく、ローウェルの「先入観」に根差している。

ローウェルは、「アメリカ、ヨーロッパ、中近東、インド、日本と東に行くほど、人の個性は薄くなっていく」と書いている。

その半世紀ほど前、哲学者ヘーゲルは、『歴史哲学講義』のなかで、「西のヨーロッパから東の中国へと向かうにつれて、個人の自由の意識が減少していく」と論じていた。そっくりである。

欧米の植民地がなお拡大をつづけていた時代、ヘーゲルのこうした思想には、抗しがたい魅力があったのだろう。

アメリカを「西の端」、日本を「東の端」に置くと、アメリカ人と日本人は対極的な存在ということになる。

そのアメリカ人は、「強い自我をもつ個人主義的な国民」ということになっている。とすれば、その対極にある日本人は、「はっきりした自我をもたない集団主義的な国民」であるにちがいない。

「日本人には個性がない」というローウェルの主張は、こうした「先入観」にもとづく演繹的な推論の産物だったのではないか。

太平洋戦争のころまでには、ローウェル流の日本人観は、欧米の知識人のあいだでは、すでに「常識」になっていたらしい。

大戦中、アメリカ政府は、「敵国」日本を知るために、著名な歴史家、社会学者、人類学者などを集めて会議を開いた。その席上、大半の専門家が「日本人は集団主義」という見解で一致したという。

アメリカ人にとって、個人主義は、アメリカ文化の誇るべき特質である。民主主義の礎であり、独創的な科学研究や起業家精神の源である。

そう信じてきたアメリカ人にとって、「敵国」日本の文化が、個人主義の対極にある集団主義という特質をもっているというのは、しごく当然のことと感じられたにちがいない。

日本人論が「常識」になった理由

「敵国」日本を1年かけて研究した人類学者ルース・ベネディクトは、戦後、その研究成果を『菊と刀』という著書にまとめた。この本が「日本人は集団主義」という「常識」を日本で確立したといわれている。

なぜこの本はそれほどまでに強い説得力を発揮したのだろうか?

戦後すぐの時期、「日本人は集団主義」と言われれば、日本人もアメリカ人も、ついこのあいだまで、一丸となって戦争を遂行していた日本人の姿を思い浮かべたにちがいない。「日本人は集団主義」という指摘は、だれにとっても「なるほど」と思える指摘だったのである。

では、戦時中、日本人が見せた集団主義的な行動は、日本人が集団主義的な精神文化をもっているということの証拠になるのだろうか?

いや、ほんとうは、そうはいえない。

戦時中、日本はアメリカという強大な国家を敵として戦っていた。外敵の脅威に直面したとき、団結を固めて外敵に立ち向かおうという気運が高まるのは、古来、どの人間集団にも見られた普遍的な現象である。

「世界でいちばん個人主義的」といわれてきたアメリカも、その例外ではない。たとえば、ソ連による核攻撃の脅威に怯（おび）えていた時代には、団結を乱す異分子を排除しようとして、「赤狩り」の嵐が吹き荒れた。

戦時中、日本人が見せた集団主義的な行動も、外敵の脅威にたいする普遍的な反応であり、べつに特殊なものではない。それを「日本文化に特有な集団主義」の証と見誤ってしまったわけである。

なぜ見誤ったのだろうか？　最大の原因は、「基本的帰属錯誤」という思考のバイアスではないかと考えられる。

「帰属」というのは、原因を何かに「帰する」こと、すなわち、原因の推定である。「基本的帰属錯誤」というのは、人の行動の原因を推定するとき、その人がおかれていた状況の影響力を見逃して、その人の内部にある特性が原因だと考えてしまうバイアスである。

このバイアスは、きわめて強固で、状況の影響力をいくら強調しても、なかなか消えないことが知られている。

戦時中に日本人が見せた集団主義的な行動を思い出したとき、この基本的帰属錯誤に陥ると、「外敵の脅威にさらされている」という状況が見えなくなる。そして、集団主義的な行動の原因は、「日本の集団主義的な精神文化」という内的な特性だと考えてしまうことになる。

その結果、『菊と刀』の読者の多くは、「日本人は集団主義」という指摘に納得してしまい、「日本人は集団主義」という見方が「常識」になってしまったのだろう。

今回の話をまとめてみよう。

科学的な比較研究は、「日本人は集団主義」という「常識」を否定している。この「常識」は、欧米優越思想が蔓延していた19世紀の遺物にすぎない。

しかし、基本的帰属錯誤が災いして、日本人の戦時中の集団主義的な行動が、この「常識」を証明する「動かぬ証拠」に見えてしまった。

その結果、この「常識」は、外国人が共有する「日本人」のイメージになり、日本人自身の自己イメージにまでなってしまったのである。

日本人が「移動」しなくなっているのはナゼ？地方で不気味な「格差」が拡大中

貞包英之（さだかねひでゆき）（立教大学教授）

1973年生まれ。東京大学大学院総合文化研究科博士課程単位取得満期退学。専攻は社会学・消費社会論・歴史社会学。著書に『地方都市を考える――「消費社会」の先端から』（花伝社）、『サブカルチャーを消費する――20世紀日本における漫画・アニメの歴史社会学』（玉川大学出版部）、『消費は誘惑する 遊廓・白米・変化朝顔――一八、一九世紀日本の消費の歴史社会学』（青土社）、『消費社会を問いなおす』（筑摩書房）など。

初出：「現代ビジネス」2016年5月11日掲載

地方から出ることをためらう人びと

現在の賑やかな地方賛美の声には、これまでにない特徴がある。

地方都市の衰退が語られ、それに対処するために「地方創生」も進められた一方で、地方を居心地のよい場所として称賛する声も少なくない。

ベストセラーになった藻谷浩介らの『里山資本主義』から、テレビでコロナ禍以後ますますさかんな「田舎暮らし」の特集にいたるまで、地方はしばしば自然が豊かで、金がかからず、場合によっては人情味のある場所としてもてはやされているのである。

もちろん地方を理想化する声は、突然つぶやかれ始めたわけではない。たとえば戦前の農本主義や、1970年代の第三次全国総合開発計画（三全総）では地方は都会人が尊重し、立ち返るべき魂の故郷として称えられた。

ただし現在の賛美の風潮で興味深いのは、たんに地方が理念的に持ち上げられているわけではないことである。集団的な「移動」の変容というかたちで、地方にとどまる人が実際に増えていることこそむしろ注目される。

たとえば図1は東京、中京、大阪の三大都市圏に移動した人口、またそれを総人口で割

図1 三大都市圏への移動

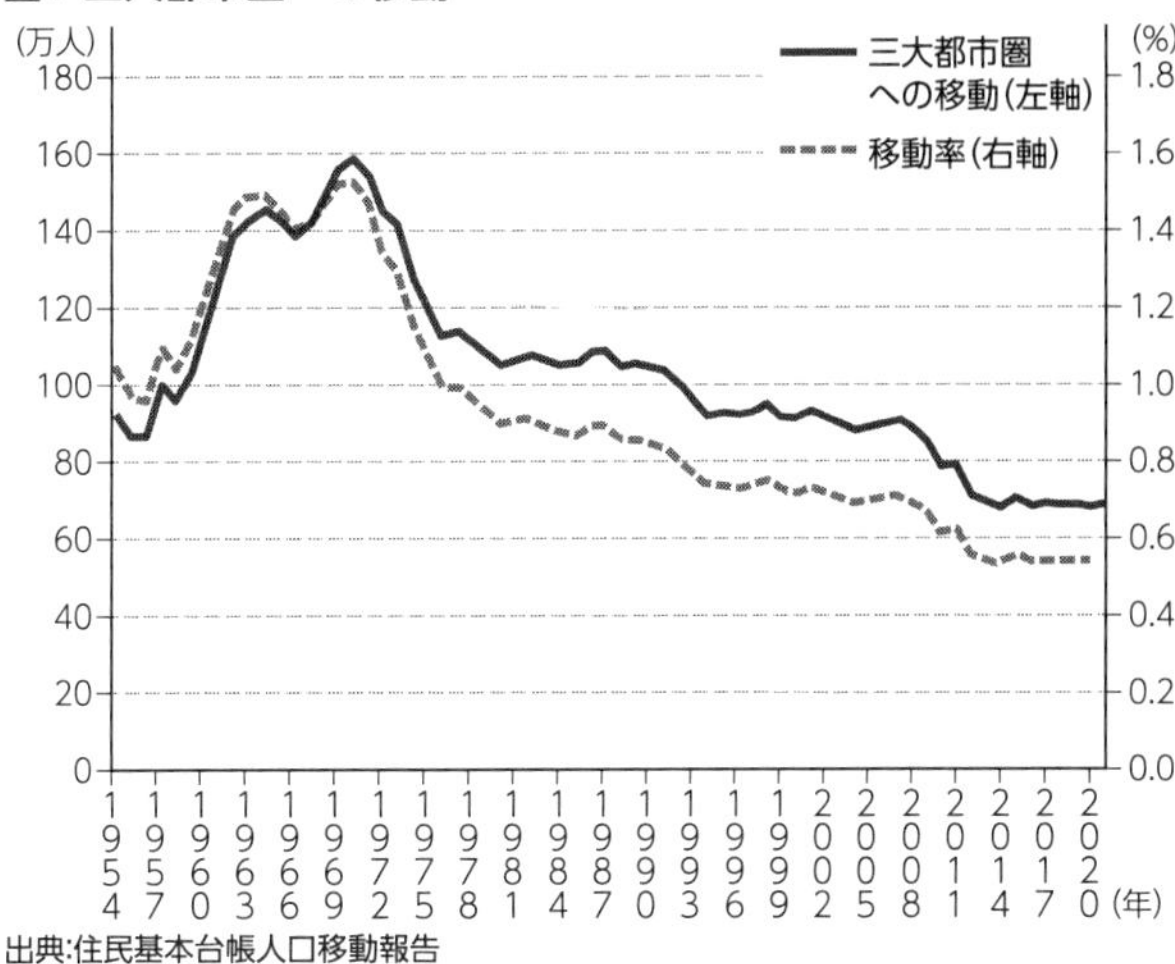

出典:住民基本台帳人口移動報告

った移動率を示したものである。それをみれば移動者、またそれに輪をかけ移動率が、1970年に最高値を記録して以降、ほぼ一貫して減少傾向にあることが確認される。直近では2020年に68万人と最盛期の158万人の半分以下になっているが、これもコロナ禍の影響というより、グラフをみればあくまで大きなトレンドに従うものであることがわかる。

三大都市圏へ向かう人びとのこうした減少を引き起こしたのは、ひとつには少子高齢化である。日本では10代後半から20代の若者の移動率が高い。そのため少子化によって若者が減れば、移動者がそれだけ減少することも当然である。

図2 5年前からの移動割合

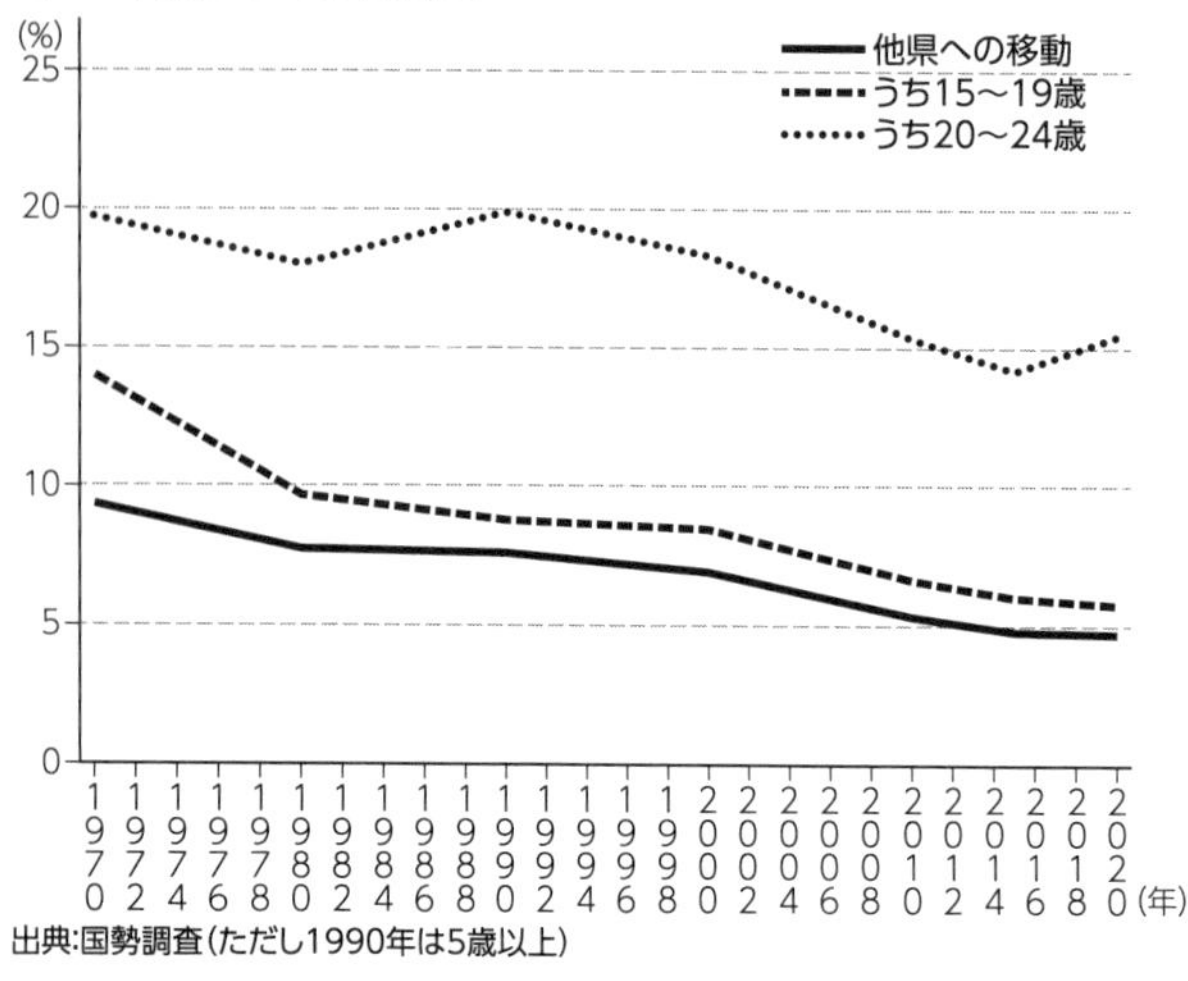

ただしそのせいだけで、移動が少なくなっているわけではない。図2をみれば、5年以内に他県に移動した人びとは若者にかぎっても減少トレンドにあることがわかる。とくに15歳から19歳の若者の移動率の減少は目立ち、1970年の0・41倍と、全体（0・51倍）と較べても落ち込みが激しい。

こうして移動が半数ほどにまで減っていることが一概に悪いこととかといえば、もちろんそうではないだろう。地元を去る若者が減ったのは、端的にいえば地方が「豊か」になったことが大きいのではないか。地方に快適な家が立ち並び、また巨大なモールがつくられることで、都会のモードにさほど遅れない暮らしもできるようになったのである。

さらにそれに応じた商業環境の充実は、雇用の場——ただし非正規的なものが多い——を誰にでも開きつつある。結果として、これまでのように受け継ぐ土地や財産を持たなくとも、地方に留まることのできる状況が生まれている。それが都会に向かう移動を減らす圧力になる。知らない人の多い大都市で、古くて狭い家に住み、長い通勤時間に耐え暮らすことに較べれば、地方の暮らしのほうがよっぽど「快適」とみえたとしても不思議はないのである。

移動は階層化し、地方は閉塞する：強化される「地域カースト」

ただ、だからといって地方から出る人の動きが小さくなっていることを、手放しで喜べるわけではない。最大の問題は、移動の減少が均一にではなく、格差を伴い生じている可能性である。

たとえば就職のため県外に出る高卒者や専門学校卒の人びとは減少しているのに対し、大学進学のため、また大学卒業後に就職のために地方を出る人びとはかならずしも減っていない（学校基本調査）。

これはつまり移動が階層化されていることを意味していよう。学歴、そしておそらく資産や特別のコネをもたない者は、地方を出づらい傾向が高まっているのであり、このことは先の図2からも確認される。これは5年以内に移動したものを示すグラフであり、現15〜19歳は10歳から19歳まで、現20〜24歳は15歳から24歳までの者がおこなった移動を表現するが、前者が大きく減っているのに対し、後者が減少しつつもたとえばバブルの時期には増加さえみられるのは、比較的富裕で学歴や技能を持った大学進学者・大卒者が移動の主役となったことを意味している。

結果として、「移動できる者」と「できない者」の二極化が進んでいる。かならずしも地方から出る必要がなくなるなかで、都会に向かう者は学歴や資産、あるいは自分自身に対するある種無謀な自信を持った特殊な者に限られているのである。

問題は、そのせいで地方社会の風通しが悪くなっていることである。学歴に優れ、資産を持つ「社会的な強者」だけが抜けていく地方になお留まる人びとには、これまで以上に地元の人間関係やしきたりに従順であることが求められる。

結果として、地方では「地域カースト」とでも呼べるような上下関係が目立つようになっている。移動の機会の減少は、それまでの人間関係を変え、ちがう自分になる可能性を奪う。その結果、親の地位や子どものころからの関係がより重視される社会がつくられているのである。

そのはてに二極化した光景が、地方社会でよくみられるようになっている。飲み屋や「まちづくり」の場などで大きな顔をするのはいつも一定の集団——少し前には「ヤンキーの虎」などと呼ばれもてはやされた——で、そうではない人はひっそりと地元で暮らさなければならないという状況さえみられるようになっているのである。

かつての上京者：永山則夫

「豊かさ」の後ろで強められている地方のこうした閉塞に迫るために、ここではおよそ50年前の1人の男性犯罪者と、2000年代に罪を犯した2人の女性の移動の軌跡を対比させてみたい。

彼・彼女たちはいずれも10代のうちに、北日本の故郷——青森、北海道、新潟——を出て東京で暮らし、人を殺した。しかしその動機、またその後の世間の反応は大きくちがった。

まずその1人、1949年生まれ——「団塊」最後の年——の永山則夫が青森県板柳を出たのは、端的に貧しかったことが大きかった。ひどい貧困のなか、今ならネグレクトともいえる家庭内環境で育てられた彼が留まることのできる居場所は、家にも街にもなかったのである。

だから永山は東京へ赴き、フルーツパーラーを皮切りに、米屋や牛乳店での住み込みの仕事や、ジャズ喫茶のアルバイトなどをして転々と暮らしていく。

ただし重要なことはこうした移動の背後には、同じように故郷を離れ上京した大量の移動者がいわば「同伴」していたことである。

中卒者が金の卵ともてはやされる集団就職の時代――映画『ALWAYS 三丁目の夕日』でノスタルジックに描かれたように――のさなかのことであり、実際、彼が逮捕された1969年には三大都市圏に向かった人口は、156万人と史上2位の多さ――最大は翌年の1970年――に達している。

そうして同じように家を出た者が大量にいたことが、彼の事件に大きな共感が寄せられる前提になった。永山は盗んだ拳銃で函館、名古屋と広域的に射殺事件を起こしたのだが、その事件にはそれを理解しようとするさまざまな言葉が群がる。

寺山修司、井上光晴、平岡正明、中上健次、見田宗介などを代表に、永山の犯罪は、同時代の人びとが自分も犯すかもしれなかった事件として、共感を込め語られていったのである。

現代の上京者：木嶋佳苗、三橋歌織

それに対し、同じく北日本から上京し事件を起こした、ともに1974年生まれの2人の女性の移動の状況は大きく異なる。最大のちがいは、永山のいわば子ども世代——つまり団塊ジュニア——にあたる2人の女性が、地方ではそれなりに豊かに暮らしていたことである。

行政書士、また社長という地方の名士の娘として、2人は少なくとも物質的には「快適」な生活を送っており、その意味で永山の「貧しさ」のようなわかりやすい上京の理由はみつけにくい。

にもかかわらず2人は上京し、そのせいで生活はむしろ困難なものとなる。家庭との不和や不幸もあったが、地方ではあたりまえの「快適」な暮らしを自分の力で続けていくことは、高卒の木嶋佳苗(きじまかなえ)のみならず、白百合女子大学を出た三橋歌織でもむずかしかった。

バブル後の不況のためだけではなく、ひとつには親がすでに移動を完了した第二世代としての団塊ジュニアたちが東京には大量に暮らしていたせいである。資産やコネを持つ同世代の定住者と、不況下の東京で彼女たちは競い合わなければならなくなった。

それでも彼女たちは「快適」な暮らしを得ることをあきらめず、だからこそ出会い系サイトで稼ぎ、あるいは愛人契約を結ぶといった危うい生活を続けるはめに陥る。

しかし、それも結局うまくいかず、一方は結婚詐欺をくりかえしつつ近寄ってきた男たちを死に至らしめ、他方は才能ある男と結婚できたが、豊かだがDVを伴う結婚生活に耐えられず、そのはてに夫を殺害し新宿や町田に遺棄する事件を起こしてしまう。

彼女たちの事件と、永山の事件に重なる部分がないわけではない。共通するのは、彼・彼女たちが地方での生活に満足できず、何かを求め北日本から上京したことである。

しかしその「移動」が、時流に乗ったものだったかどうかは、対照的である。永山が「貧しさ」のために上京した大勢のなかの1人であることで多くの共感を集めたのに対し、彼女たちはそうではなかった。彼女たちの時代、地方から都会への移動は大きく減少しており、さらには階層化されていたためである。

しかし木嶋佳苗や三橋歌織はあきらめなかった。彼女たちは時代の流れに逆行しても、地方を出て何かをつかもうとあがいたのであり、そのはてに同じように東京でもがきつつ生きていた人びとを殺害するという破局に陥ったのである。

事件があきらかにするもの

この意味で彼女たちの人生の軌跡が照らしだすのは、まず、①現代の「上京」が過去に較べ特有の困難を背負っていることである。

かつて永山は上京し、下働きから始めることを恐れていたようにはみえない。地方での貧困に較べれば少しでもましな暮らしが待っているとむしろ期待していたようにみえるのだが、現在そう思える人は少ないだろう。

いまや地方の暮らしはそれなりに「快適」だからであり、逆に東京では、すでに住宅やコネをもつ者とのシビアな競争が求められる。だとすれば「資産」や自分の才能に対する特別の自信を持たない人が、わざわざ上京することをためらうのも当然である。

もちろん移動する者が皆無なわけではない。量としては半減しつつも、木嶋佳苗や三橋歌織のように上京する人びとは現在でもいるが、そのことは逆に、②彼・彼女たちを押し出した地方の生きがたさを浮き彫りにする。

なぜ木嶋佳苗や三橋歌織は地方の暮らしを捨て、上京したのか。その理由は具体的にはあきらかではないが、彼女たちが地方に居心地の良い場所をみつけられなかったことは事実だろう。先にみたように移動が減少した地方では、生まれながらの貧富の差や能力に基づく「カースト」がより顕著になっている。そのなかで忸怩(じくじ)たる思いを抱かざるをえない人も多いはずなのであり、そうした孤独は、たとえばモールがあたえる「快適」さによって癒やされるものではないのである。

次世代の移動者：加藤智大

上京すること、地方に留まることは、今ではこうしてそれぞれの困難を抱えている。だからこそ一方では、その二者択一のあいだを縫って生きようと模索する人もいる。先に図1で大都市に向かう移動が減少していることをみたが、それは移動総体のなかでもそうであり、県を超えた移動総体のなかで三大都市圏への移動が占める割合は1960年の43・5％と較べると2019年には29・9％と0・69倍にまで落ち込んでいる（住民基本台帳人口移動報告）。

このことは、大都市を目指さず、しかし生まれた場所に留まることで生じるしがらみを地方間の移動によって回避する動きが、現在一定数、選択され始めていることを浮かび上がらせる。

それを極端なかたちで示すのが、木嶋佳苗や三橋歌織の次の世代、「秋葉原事件」を起こした1982年生まれの加藤智大（かとうともひろ）の移動の軌跡である。

加藤は青森県の高校を卒業した後、岐阜県の短大に入学。卒業後は宮城、埼玉、茨城などで非正規の職を転々として暮らしている。しかしその暮らしは、彼自身の手記（『解』）では、かならずしもつらいものと描かれていない。

加藤は地方の工場で、好きな自動車にかかわる仕事をみつけ、事件を起こすまで、東京にはたまに買い物に訪れるのみで、地方を転々とする暮らしを送っていた。

こうした加藤の軌跡は、「移動」にかかわり、現在せり上がりをみせているひとつの集団的な動きのあり方を照らしだす。ある地方に留まる、または大都市に定住するのではなく、地方を渡り歩きながら暮らしていくこと。

それはたしかに大都市のせちがらさも、生まれた地方のしがらみも回避するうまいやり方なのかもしれない。その意味で加藤の生き方は、コロナ禍を経て、テレワークが一定程度可能になった現在、時に夢みられ始めている、場所に縛られないという理想を先取りしたものだったとさえいえる。

だが他の生き方に比べて、そうした暮らしがよりマシなものとは即断できない。実際、少なくとも加藤にとっては、そうではなかった。こうした暮らしは、現住地でのかかわり以上に、ネットの関係にこだわる生き方へと彼を追いやっていくのであり、それが彼を無差別殺人へと連れ出す破局への扉になったのである。

大都市暮らしと地方暮らし

以上、地方暮らしと、東京暮らし、そして地方を転々とする第三の道には、それぞれの「快適」さと「地獄」があることを浮かび上がらせる。犯罪者たちの生の軌跡は、こうして移動がますます困難になった社会における生きがたさのあり方を照らしだすが、問題はコロナ禍によってそれがさらに分断されてしまったことである。

まんえん防止のためになかば強制的に移動の停止が進められることで、地方と都会の関係は想像的にさらに遠いものに変わってしまった。メディアは、都会を好き勝手に生きる若者の集まる危険な場とみせるとともに、地方を感染者を排除する陰湿な場のように映しだした。そうして都市と地方は、以前にもましてそれぞれ理解しがたいものへと距離を広げてしまったように思われる。

都市と地方の移動だけではない。情報を瞬時に運ぶネットが拡大し、さらにはモノを短期間で安全に運ぶ物流が増加していくこの社会で人が移動するための敷居はグローバルにもローカルにも、いっそう高くなっている。自分がわざわざ移動しなくとも快適な生活が送れるためであり、それに加えて疫病対策または二酸化炭素排出の対策のために人が移動する場合のコストも大きくなっている。そのせいで多くの金と時間をかけわざわざ移動できる者は、裕福な者やそれに見合った報酬が期待できる特殊な技能を持った特権的な者にかぎられつつあるのではないか。

しかしだからこそ、恐れず移動することがわたしたちには求められる。それまで享受していた「快適性」を少なくとも一旦は手放し、まったく知らない人のなかでこれまでとはちがう暮らしをしていくこと。移動は、地域やネットにしがみついていては得られない、自分を変えるための貴重なチャンスを与えてくれるはずなのである。

もちろんそれを摑み取ることは、容易ではない。それに失敗したのが、ここで挙げた犯罪者たちだった。彼・彼女たちは地方でなり得なかった何者かになろうとして移動したが、結局はそのために他者の生を台無しにした。その罪は許されないが、彼・彼女たちは極端な生を生きることで、この社会で移動がいかに大きな困難を抱えているかだけではなく、移動することがそれでもなお一定の人びとにどれほど大きな魅力になり続けているのかを、その分だけ照らしだしてくれているのである。

日本人が大好きな「ハーバード式・シリコンバレー式教育」の歪みと闇

畠山勝太（NPO法人サルタック理事）

1985年、岐阜県平田町（現・海津市）生まれ。東京大学教育学部卒業後、神戸大学大学院国際協力研究科博士後期課程中退（経済学修士）。ミシガン州立大学教育大学院修了（Ph.D. in Education Policy）。世界銀行本部で教育統計整備やジェンダー制度政策評価等の業務に従事する。4年間の勤務後、国連児童基金（ユニセフ）へ移り、ジンバブエ事務所、本部（NY）を経てマラウイ事務所勤務。2022年10月より内閣府・国際平和協力研究員。

初出：「現代ビジネス」2018年2月17日掲載

「ハーバードで見た」の妥当性

ハーバード大学やシリコンバレーで見た、という個々人の体験や海外視察に基づく教育政策提言がなされるのをしばしば目にすることがある。

例えば、文部科学省のヒアリングなどでも、シリコンバレーのあるカリフォルニア州・ロサンゼルスで体験した教育に基づく教育政策提言がおこなわれている。

しかし、このような提言というのは、日本の教育政策に対して妥当性を持つのであろうか？

通商政策や金融政策などと異なり、教育政策の分野では、決して普遍的とは言えない特定個人の体験に基づく教育政策提言がなされやすい傾向がある。

なぜなら、この世界では依然として6700万人以上の子供が小学校に行けていないので全ての人とは言わないが、教育はほぼ全ての人が経験するものであるため、本来政策分析に必要な知識やデータ分析などのスキルを持ち合わせていなくても、みなが一家言を持てるためである。

そして、理論的・実証的な裏付けがなくても、ハーバード大学やシリコンバレーというネームバリューが、このような政策提言にもっともらしさを持たせる。

博士号レベルの専門性を持った教育政策の専門家が習得すべき知識やスキルは、教育経済学や教育の政治学など多岐にわたるが、その一つに国際比較教育学が含まれる。

なぜ国際比較教育学が必須なのかというと、ある国や地域でおこなわれている素晴らしいとされる教育システムから学び、自国の教育改善のためにそれを取り入れようとする際に、その教育システムを取り巻く文脈を吟味して、自国に導入した際にそれが機能するのかどうか判断する能力が、教育政策の専門家には必要だからである。

そこで今回は、国際比較教育学的に米国の教育システムを取り巻く文脈と日米の教育を取り巻く文脈の違いに着目することで、「ハーバード大学やシリコンバレーで見た」という教育政策提言の妥当性についてお話しする。

州の間の驚くべき「教育格差」

米国の教育システムはその成り立ちからして極度に分権化されていた。

なぜなら、学校は地域住民の要望に応え、地域共同体を守っていくことがその使命だと考えられていたためである。このような考え方の下では、州政府や連邦政府の教育への介入は、極端にいえば教育の自由を侵害するものとなる。
しかし、教育政策においては分権化と集権化の間に自由と平等のトレードオフが存在する。

分権化されたシステムは前述の通り、地域住民の要望を集約し教育活動に反映させる機能も権限も住民の近くに存在するため、住民が子供たちに受けさせたい教育が容易に実現されやすい。

その一方で、分権化された民主主義的に運営されている教育システムの下では、地域内に存在するマイノリティの教育需要（例えば、多言語教育や障害児教育、有色人種のための教育などが当てはまる）が黙殺されやすいだけでなく、地域間に存在する経済的な格差も教育システムにそのまま反映されてしまう。

このようなマイノリティや格差の教育問題を是正できるのは集権化された教育システムである。実際に、近年の米国でも教育を通じて社会経済的格差や人種間の格差を是正する必要性が認識され、教育の集権化が少しずつ進んでいる。

この結果、かつては10万以上存在していた学区の数も、1万3500程度まで減少したものの、少なくとも過去10年ではそれ以上の統合は進んでいない。さらに、それでもなお

図1 州の所得の中央値とテストスコア

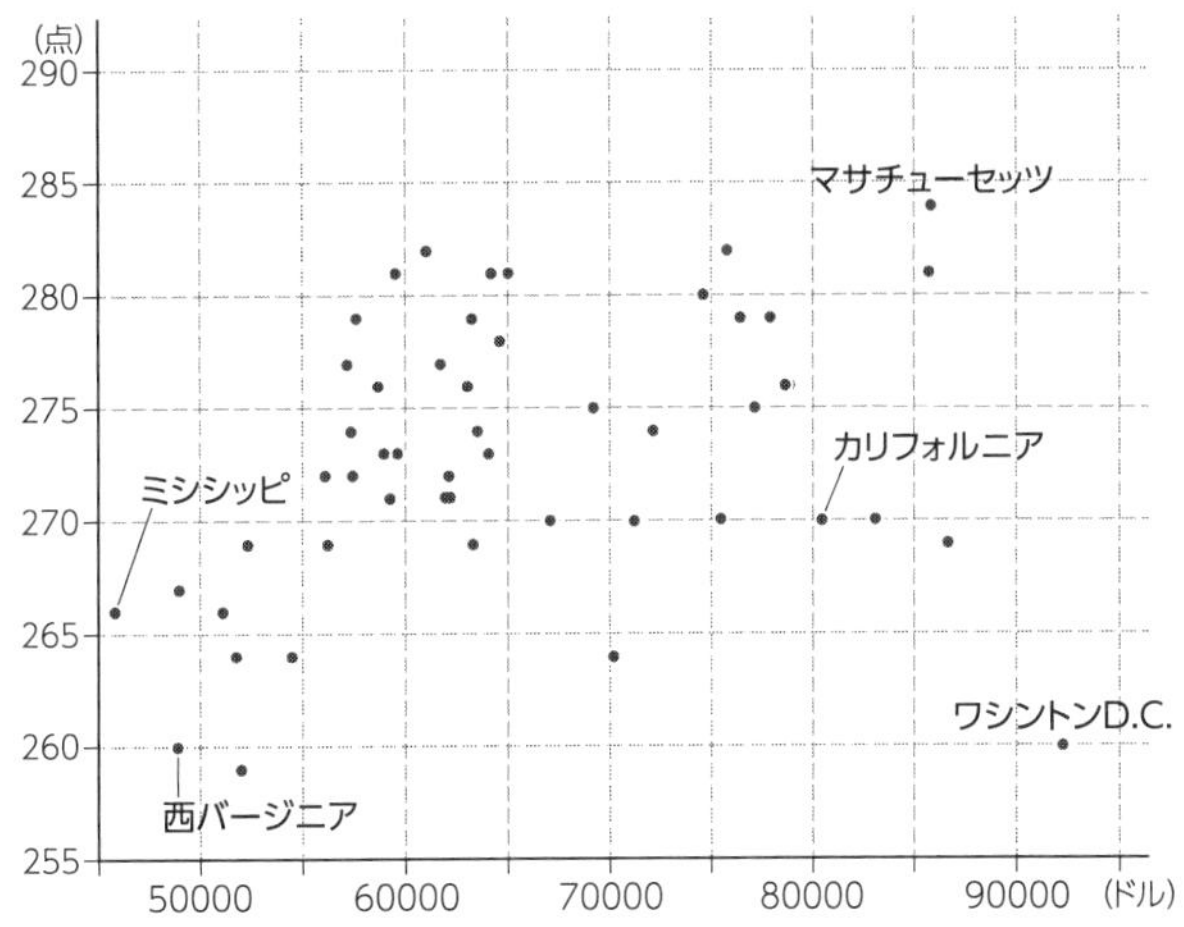

州政府や連邦政府では、これだけの数の学区の一つひとつで住民の要望を取りまとめて反映させることは不可能であり、教育の自由が侵害されるとして集権化に反対する声も根強く存在している。

このように米国の教育は依然として極めて分権化されたシステムであるため、州の間での教育格差も、州ごとの経済力が反映され、極めて大きなものとなっている。

図1は、X軸に州内の世帯所得の中央値を、Y軸に8年生を対象とした学力調査の数学の成績（全米学力調査：NAEP）を取ったものである。

米国で最も貧しい州はミシシッピ州で、世帯所得の中央値は約4万6000ドルである。これに対し、ワシントンＤＣという特殊な地区を除いて最も豊かな州であるメリーランド州のそれは約8万７０００ドルと、州間の所得格差は2倍近いものとなっている。

そして、子供たちの学力も豊かな東海岸・西海岸で高く、貧しい南部の州では低くなっている。

ハーバード大学のあるマサチューセッツ州はどのような位置づけかというと、米国の中でもトップクラスに豊かな州であり、子供の学力も断トツで高い州である。

実際に、２０１１年に実施された国際学力調査のＴＩＭＳＳ（国際数学・理科教育動向調査）の数学（中学校2年生）の成績[1]を見ても、５６１点と極めて高い成績を収めている。これは、５１４点のフィンランドと比べても極めて高い成績であるし、５７０点の日本とも遜色ない成績である。

そして、アメリカ全体の平均点は５０９点で、アラバマ州などは４６６点しか取れていないことを考えると、マサチューセッツ州の米国での例外的な位置づけが見て取れる。

このように、日本人がハーバード大学から見る米国の公教育というのは、貧しい州に対して手厚い支援をすることなく、その資源を自分たちの州の教育のためだけに使用したうえに成り立っているものであることは理解しておく必要がある。

シリコンバレー教育の「暗部」

米国の分権化された教育システムは、州の間以上に同じ州の中での教育格差も大きなものとしている。その原因の一つが米国の伝統的な教育財政システムである。

確かに近年、州政府や連邦政府の教育財政への介入の度合いが高まりつつある。

これは、1983年に公刊された「危機に立つ国家（A Nation at Risk）」というレポートが、経済成長と国防における教育の重要性を説き、このままでは日本を中心とする他の先進諸国との経済戦争に敗れると警告し、米国の教育政策関係者の危機感を煽ったことに端を発する。

このレポートが引き起こした最も顕著な変化は、公民権運動以来続いていた教育を通じた人種間格差の縮小という教育の重点が、学力の重視へとシフトした点である。

さらに、既存のシステムがダメな場合、それを改善するか、別のシステムを採用するか、二つの方向性を採りうるが、米国は後者を選択した。

つまり、これまで教育政策において重要な役割を担ってきたアクター（公立学校や州政府

1　2019年にもTIMSSは実施されているが、州ごとの平均は2011年までしか公開されていない。

の下のレベルに位置する学区レベルの教育委員会）を退場させるために、民間にその役割を担わせようとしたり（バウチャー制度やチャータースクールの導入に象徴される）、州政府や連邦政府がその役割を担おうとしたりしている。

州政府や連邦政府の教育財政への介入度合いの高まりはこのような背景から進んでいるが、それでもやはり非都市部を中心に抵抗が大きく、依然として教育財政の主な権限が学区レベルにあるところが多い。

各学区は、選挙をおこない教育委員会のメンバーを選んでいる。この教育委員会は徴税権を持っており、主に固定資産税を通じてその学区の教育予算を確保している。

つまり、不動産価格が安い貧困地域の学区では、教育水準の低い住民が多いため、そこから選出される教育委員会のメンバーの能力に疑問符が付くだけでなく、確保できる教育予算も少なくなる一方、富裕層が住む不動産価格が高い学区は潤沢な教育予算を確保することができる。

そして、この学区の教育委員会は、教員の任命権も持っている。

この結果、富裕層が多く住む学区は、高い教員給与を支払い優秀な教員を多く集めることができるが、貧困層が多く住む学区は、学校が荒れていることが多いため労働環境が劣悪になるだけでなく、支払われる給与も低くなっている。

例えば、私が住むミシガン州では、富裕層が多く住む学区の教員の平均給与は、貧困層が多く住む学区の教員のそれの3倍近い値となっている。

この学区問題が存在する背後には、米国の住宅政策の問題がある。

第一に、米国の低所得者向けの公営住宅は地価の安い所を中心に作られた。このため、公営住宅の周辺が黒人のゲットーと化した。

第二に、大都市を中心にジェントリフィケーション（地域に住む人々の階層が上がると同時に地域全体の質が向上すること）がおこなわれた結果、従来黒人が主に住んでいた地域が減少し、黒人が「主に」住んでいた地域が実質的に濃縮され、黒人「だけ」が住んでいる地域と化した。

第三に、民間の住宅販売や賃貸で人種差別が横行したことが、黒人が適正な価格で適切な地域に住む障害となった。

第四は、第三と関連するが、同じことが住宅ローンの融資の審査でも起こった。

第三・第四の要因は、日本にいると民間セクターが人種差別をするのは合理的ではなく現代においてはあり得ないと思うかもしれないが、トヨタ自動車傘下の米国の金融機関が、自動車ローンの金利設定で人種差別があったとして、賠償金の支払いを命じられたのは、２０１６年のことである。

シリコンバレーの近郊都市であるサンフランシスコ、同じカリフォルニア州のロサンゼルス、ハーバード大学のあるボストン、首都ワシントンＤＣのどこを見ても分かるように、大都市はどこも実質的な人種隔離状態にある。

シリコンバレーのあるカリフォルニア州は日本人が多いこともあり、リベラルの象徴として日本で語られることをよく耳にする。

だが、このように白人にとって都合の悪い貧しい黒人やヒスパニックを徹底的に身近から排除し、豊かな少数の黒人やヒスパニックだけを受け入れて「リベラル」さを醸し出している点は、この州の制度を参考にする際に注意をする必要がある。

教育政策もその例外ではない。マイノリティの居住地区は一般的に過度に治安が悪いため、アジア人が立ち入ることも難しく、日本人がこのような地域の教育を見ることはほとんどない。

日本人がシリコンバレーで見る素晴らしい教育は、このようにすぐ隣にいる貧しい黒人やヒスパニックを徹底的に排除し、かつそのような地域に対して手を差し伸べることなく、自分たちの持つ資源を自分たちの子弟の教育のためだけに使った上に成り立っているものなのは、日本が参考にする上で理解しておく必要がある。

大学から見える景色の特殊さ

さらに、帰国した2023年にこの原稿を読み直してみると、重要な点を一つ指摘し忘れていたことに気がついた。それは米国におけるカレッジタウン・大学の特殊さである。米国では少なくない大学が田舎に立地し、そこでカレッジタウンを形成し、独自の文化を育んでいる。これが一目瞭然となるのは、地域ごとの政党支持率を地図上で見たときである（図2）。人口密度の低い農村地域はことごとく共和党支持（＝赤）であるが、その赤の大海原の中に青い（＝民主党支持）点を見つけることができる。その点とは、都市およびカレッジタウンである。

例として、私が博士号を取得してきたミシガン州の、2020年の大統領選挙の結果を見てみよう。ABC Newsの大統領選挙の特設ページは選挙区ごとの結果を赤と青で示している（図中では色の濃淡で表示）。ミシガン州では赤の面積がかなり広いため、共和党のトランプ前大統領が勝利したように見える。しかし、ミシガン州の結果は民主党のバイデン大

図2 地域別の政党支持率

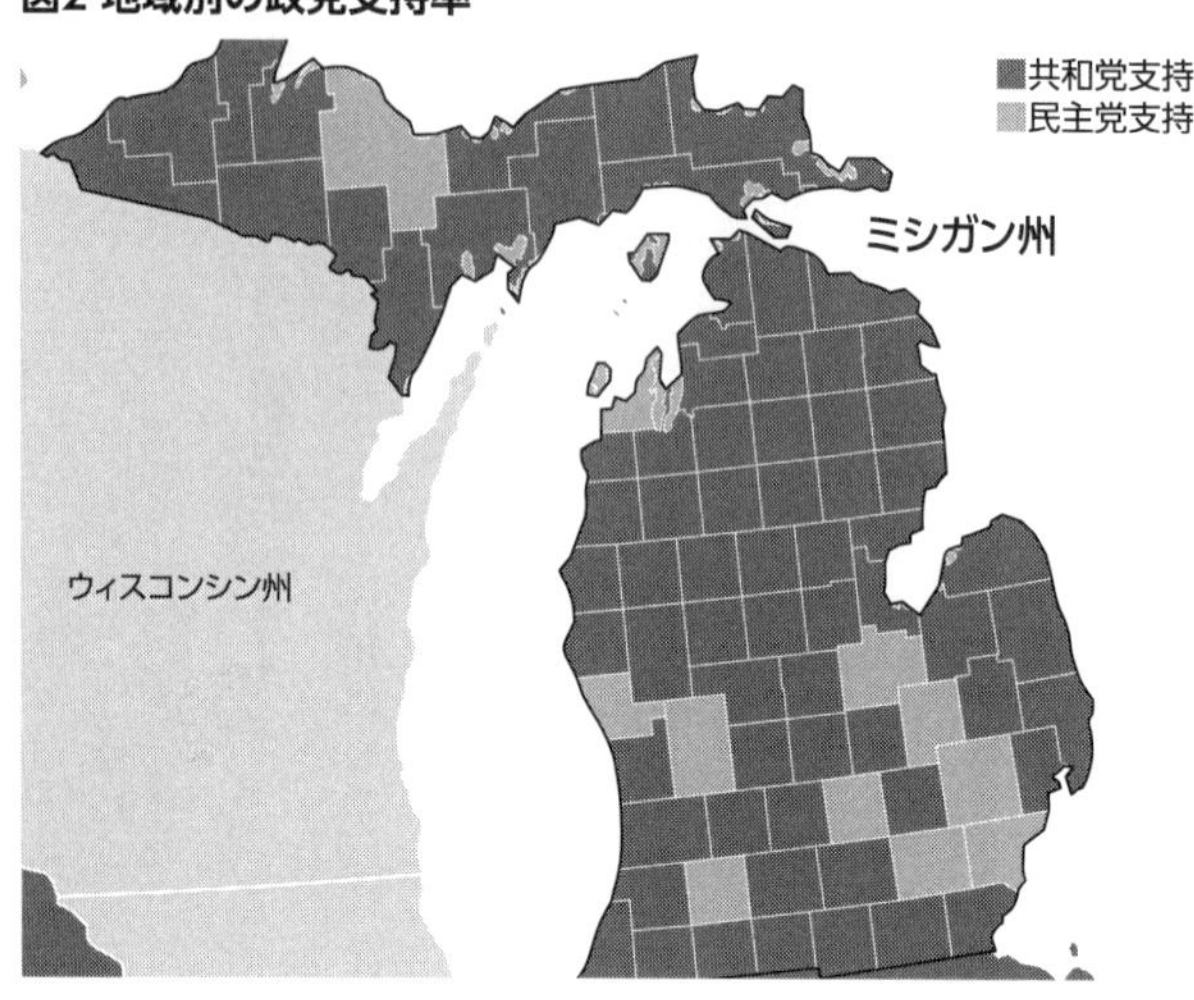

統領の勝利である。これは右下に存在する大都市デトロイトとミシガン大学・ウェイン州立大学、下中央部の州都ランシングとミシガン州立大学、左下のいくつかの中都市とウェスタンミシガン大学など、狭い青い地域の人口密度が高いが故に起こる現象である。そして、都市やカレッジタウンの青い点が赤い大海原に浮かんで見える現象は、ミシガンに限った現象ではなく、全米で広く見られる現象である。

そして、このカレッジタウンこそが、米国の分断の元凶の一つであると言われている。日本でも高卒・大卒のさまざまな格差は話題になるが、米国でのそれも、賃金格差にとどまらない。両者は宗教観の違いをはじめとして、女性の労働参加と子育て、性的マイノリティ、人種問題など、米国の分断として象徴される出来事においてことごとく異なる価値観・見解を有している。さらに、確かに元々大学はリベラルなところであったが、近年リベラル的な価値観を持つ教員・学生の割合がさらに増加してきている。このため、カレッジタウンは人種・国籍・性的嗜好などにおいて多様な場所となっているが、価値観という点において極めて画一的な場所となっている。

つまり、カレッジタウンでたかだか数年学んだ程度では、いや下手をすると何十年そこで教えていたとしても、そこから見える教育やそれを取り巻く社会環境から米国全体を考えることは難しい。

「貧しいけれど平等」な日本の教育システム

①日本の貧しさ

ある社会が教育にどれだけ資金を割けるかは、いくつかの要因が絡み合って決定されるが、もっとも単純な図式では、**その社会の豊かさ**（GDP）×**その社会の政府の大きさ**（税率）×**その社会の政府の教育性向**（政府支出に占める教育支出の割合）によって決定される。

日本がハーバード大学やシリコンバレーで見た教育政策をそのまま導入するのが難しい理由の一つはこの利用可能な教育資源の量にある。

税負担率については、2023年のIndex of Economic Freedomを見ると日米の差は10%程度であるが、政府の教育性向についてはWorld Development Indicatorsを見ると米国は日本の1・7倍ほど高い教育性向を持っている。

確かに、日本は少子化が急激な勢いで進んでいるので、それが教育性向に反映されているだけかもしれない。

しかし、若年従属人口指数という、生産年齢人口に対してどれくらい若年人口（15歳未満）がいるかで表される、働き手でどれくらい子供たちを支えなければならないかを意味する指標があるが、日本が20%程度なのに対し、米国も28%程度しかないため、少子高齢化だけでは教育性向の違いを説明しきれない。

しかし、何よりも決定的に違うのは豊かさである。日本の世帯所得の中央値は約3万4000ドルであるが、これは全米で最も貧しい州であるミシシッピよりも1万ドル以上も低い。

実際にWorld Development Indicatorsのデータに基づき日米比較をしてみると、小学生一人当たりの公教育支出も、日本が8500ドル程度なのに対し、米国は1万1500ドル程度と30%以上も多い。

さらに、前述のように米国は州ごとの貧富の格差が大きく、ハーバード大学のあるマサチューセッツ州、シリコンバレーのあるカリフォルニア州の世帯所得の中央値はそれぞれ約8万6000ドル、約8万ドルもあるため、これらの州の小学生一人当たりの公教育支出は全米平均よりもかなり高い値になっていることが予想される。

さらに、州内での巨大な経済格差を考慮すれば、日本人がハーバード大学やシリコンバレーで見るような米国の公教育というのは、日本が模倣してスケールアップするには、高価すぎる商品なのである。

②日本の教育の平等さ

日本の教育システムは、米国と比べると遥かに集権的で、これにより米国では考えられないほどの教育の平等性を保っている。

解釈にはさまざまな注意が必要であるものの、日本は学力調査でそれほど豊かとはいえない秋田県がトップに立ったことがある。貧しい南部諸州が学力調査で軒並み下位に位置している米国からすると、これは驚きの結果であろう。

日本の教育の平等さを支える大きな柱の一つが義務教育費国庫負担金制度である。教員給与の3分の1は中央から、残りの3分の2は都道府県から支出されるだけでなく、教科書も国が支出し、施設費も国が半額負担をしている。また、広域教育行政が敷かれているために、遠隔地で極端な教員不足が発生することもない。

日本の教育システムには、このような、豊かな地域や富裕層からの税収を貧しい地域や貧困層の教育に充てるシステムが存在する。

その一方で、アメリカの教育システムはこのような機能が弱いため、富裕層がその豊かさをそのまま自分の子弟の教育に反映させることができる。

日本人がハーバード大学やシリコンバレーで見た米国の公教育とはその結晶であり、これを日本の豊かな一部の都市部で模倣するのであれば、それは恐らく、同じ日本人である地方や貧困層の子供を切り捨てた上に成り立つものであろう。

体験を元に「米国を参考にすべき」と主張するのは暴論だ

ハーバード大学での体験に基づく米国教育論は、マサチューセッツ州が米国の例外的存在であることが見えていないだけでなく、カレッジタウンの特異性をも見落としているし、シリコンバレーでの体験に基づく米国教育論も、すぐ隣にいる容赦ないほどに隔離された貧しい黒人やヒスパニックの存在が見えていない。

このような米国教育論は、米国教育の極めて一部分しか見ておらず、そのような米国教育を日本も参考にすべきというのは、暴論でしかない。

そもそも、日本人がハーバード大学やシリコンバレーで見る米国の基礎教育というのは、米国のごく限られた上澄みであるが、ある国の平均ではなく上澄みだけを見て、それを日本の平均と比較するというのも、それは比較として成り立っていない。

教育システムは、それを取り巻く社会福祉政策に規定され、社会福祉政策はそれを取り巻く文化・社会・経済的背景に規定される。これらの要因を考慮せずにある教育システムを別の文脈に持ち込んでも、ただ失敗に終わるだけである。

もう一つ重要なのは、教育の成果物は多様であるという点である。教育経済学の文脈で分析されるものだけでも、知識やスキル・社会性など主に個人に帰するものもあるが、国民統合・市民性・平等性など主に社会に帰するものもある。

数年ある場所に滞在して、そこで見える教育の成果物は、せいぜい個人に帰する部分だけではなかろうか？

　それだけを見て論じられる教育政策は不完全なものであるし、教育に社会的意義を求めないのであれば、それはもはや政府の介入をほとんど必要としないものであり、政策として論じる価値すらない。

　もちろん、日本にも女子教育や教育とＩＣＴ（情報通信技術）など大きな課題を抱える分野がある。さらに、教育ローン返済免除の金額・閾値設定の巧みさや、教員の労働環境の改善など、バイデン政権になってから、日本がアメリカから学ぶべき教育政策上の課題もいくつか出てきている。

　しかし、これらについて米国の教育政策から学ぶ際には、教育政策関係者には、ハーバード大学やシリコンバレーで見たという類の雑な教育論ではなく、ややポジショントークではあるが、知識と分析スキルを持ち合わせた専門家の議論にもう少し耳を傾けてもらいたいものである。

日本が中国に完敗した今、26歳の私が全てのオッサンに言いたいこと

藤田祥平（ふじたしょうへい）（小説家）

1991年、大阪府生まれ。京都造形芸術大学文芸表現学科クリエイティブ・ライティングコース卒業。「IGN JAPAN」「現代ビジネス」「ユリイカ」などでライターとして活躍。著書に『電遊奇譚』（筑摩書房）、『手を伸ばせ、そしてコマンドを入力しろ』（早川書房）などがある。FPSゲーム『Wolfenstein: Enemy Territory』元日本代表。

初出：「現代ビジネス」2017年12月2日掲載

深センで常識をブチ壊された

　私はバブル崩壊の暗雲立ちこめる1991年に生まれた、失われた世代の落とし子である。年齢は26歳。両親は大阪府のベッドタウンでそれなりに大きな中古車販売店を営んでいて、子どものころは金持ちだったが、いまは零落した。

　東日本大震災の年に母が急逝したのだが、そのころから父は折に触れて金がないとこぼすようになった。家業を継ぐほうがいいのかと相談すると、「この仕事にはもう未来がないからやめておけ」と父は言った。

　それで文章の道に進んだ。こちらもそんなに豊かな未来があるわけではないが、どうせなら好きなことをやるほうがいい。

　そうして1年ほどウェブ媒体で記事を書き続けた。専門はビデオゲームと小説だが、注文があればなんでも受ける。

　その甲斐あってか、とあるメディアから声がかかり、先月中国へ取材旅行を敢行した。取材の目的は、中国のヴァーチャル・リアリティ（VR）市場を調査することだった。

　この取材の最中、私は、自分の常識を根底から揺るがされた。

超巨大IT企業、テンセントのお膝元である深セン市——日本でいえばトヨタのお膝元としての愛知県のようなイメージだろう——に香港から入ったとき、もちろん想像していたような共産主義的な雰囲気もあったのだが、中心部に近づくにつれて、その印象はどんどん薄れていった。

負けたのだ、日本が。少なくとも経済的には。

これが「高度経済成長」なのか……

天を突くような高層ビルがあちこちに建ち並び、そのうちのいくつもが建設中である。

華強北（ファーチャンペイ）という名の中心地は電気街だが、ヨドバシカメラ15棟分くらいの広さがあり、メーカー直営店や個人経営の問屋が延々と続く。

街中のあちこちに放置されている同型の自転車は、スマホのQRコードで決済し、どこでも乗れてどこでも乗り捨てられる「Mobike」という世界最大のシェアサイクルサーヴィスだ。

ショッピングモールにはココナッツの実が大量に詰められた自動販売機があって、メッセンジャーアプリ「微信（WeChat）」で電子マネー決済を済ませると、機械のなかで穴を空け、ストローを挿した状態でココナッツが出てくる。

この「微信」はほぼすべてのサーヴィスや商店に浸透していて、時の流れに忘れ去られたような小汚い個人商店でさえ、オーナーのおじさんとスマホを重ねあわせて決済できる。

肌で感じた。中国の経済成長はいわば身体的なものであって、のびのびと身体を動かせばそれだけで充分な対価が返ってくる性質のものなのだ。

そしてこの国は、身体を動かせる若い労働力にあふれている。つまり、老齢をむかえて思うように身体が動かなくなった日本がいまの中国から新しく学べることは、おそらく何もない。

この圧倒的な深センの街のなかで、「私たちはもう、これを高度成長期に体験済みなのだ」と私は思った。

道行く人々がとにかく何かを喋りまくっている。5人に1人は、機嫌良く鼻歌なんか歌っている。

魚群のような自動車の群れは延々とクラクションを鳴らし続けていて、マナーなどという窮屈な枷は存在しておらず、ただ人々の心のこもった会話と仕草だけがある。

繰りかえすが、私はバブル崩壊の暗雲のなか生まれた。そうして26年が経ったが、はっきり言おう、人間がここまで希望を持って生きていいものだとは、想像だにしなかった。

VRのコンテンツに力を入れている種々の企業に取材を行うとき、この感覚はますます強められた。

彼らの決断はおそろしく早い。ちょっと首を傾げるような詰めの甘い企画のプロダクトが、すでに市場に溢れている。

私がサラリーマンをやっていたころに書いたさまざまな企画書は、日本では直ぐに却下された。しかしこの国であれば、なんの問題もなく通っていただろう。そうして私の考えや行動が現実に影響し、それによって仕事をしている実感を得られただろう。

正直に告白すれば、彼らが羨ましくて仕方なく、私は街中にばらまかれた大量のLEDの光のもとで、何度か泣いてしまった。この国でなら、文章でも食えるだろうと希望を抱けたはずなのだ。

人材も輸出するしかない

しかし、愚痴ばかり言っていても仕方がない。いまの中国に対して、日本が行えることは何か、考えてみよう。

私なりの答えは、文化の斡旋だ。

深セン市で体験したほとんどすべてのコンテンツのクオリティは、目を覆いたくなるほど低かった。目を覆いたくなるというのは比喩ではない、VRをいくつもやったからだ。いずれもひどく酔っぱらって、大変だった。

このクオリティの低さに理由を求めるならば、文化大革命や共産党によるビデオゲーム規制など、なぜか文化を破壊したり抑圧したりする、独特のお国柄にあるのだろう。ことコンテンツ創造にかんする、文化的蓄積がないのだ。

だからこそこの国に、娯楽として洗練された日本のコンテンツをうまく輸出するべきだ。比喩的にいえば、悟空やマリオやピカチュウが向こうで泣き寝入りしないような形で、輸出するのだ。

ここまでは、他の誰かがすでに言っていることの焼き直しである。ここに付け加えるとすれば――日本の優れた人材さえをも、うまく輸出することだ。

なぜか？　すでに状況は、日本人そのものを残すには手遅れで、せめて日本の文化的・経済的遺伝子を残さねばならないところまで、進んでしまったからだ。

私はすべての20代を代表して、人生の先輩方であるあなたに言わせてもらいたい。先兵のひとりとして、管理職を務めるあなたに、経営者のあなたに、意思決定権をもつあなたに言わせてもらいたい。

私たちはこの戦況を作り出したあなたに、文句を言いたいのではない。そうではなくて、能力のある若者に適切な権限を与え、労働時間をまともなものに変更し、女性の給料を男性とおなじにし、すでに未来のない国内戦から撤退して、戦場を中国に移せ、と言いたいのだ。

もっと具体的に言おう。

中国の物量をいいかげんに認識して、彼らに魚の味ではなく、釣り方を教える戦略に切り替えろ。

私たちは国際社会に協調することにかけては一流なのだから、米国や旧ＥＵ圏とのパイプを維持しつつ、中国とも独自の協調路線を取れ。

読み終わった英語の教本を売り、中国語の教本を買え。

いわば、これは他国の特需に介入するようなものだが、地球上にはいまのところ国境があるのだから、仕方なかろうが！

出生率のデータを見ろ、大卒初任給平均のデータを見ろ、平均労働時間のデータを見ろ！

おれたち若者は疲れ果て、飢えている。もしもいまのような見当違いの戦略で、いつまでもおれたちを戦わせ続けるつもりなら、おれたちはこんな国から出ていくぞ。

誰でもいい、あなたの会社の有望な若者をまずはひとりつまみ上げて、中国に送れ。通訳をつければ、そいつはなんだってやる。

たとえば私は、三和地区という深センのスラム街に分け入った。ネットカフェで3日間ゲームをやり、1日だけ肉体労働をして暮らす「廃人」たちに、取材をするためだ。

その地区に降り立ったとき、「人力資源市場」という看板が掲げられた、薄汚い建物の前に労働者たちがたむろしており、陽によく焼けた肌を晒した筋骨隆々の男たちが、私にあきらかな敵意の視線を向けていた。

取材で入ったスラム街

　私は彼らに声をかけ、カメラを向けた。驚くべきことに、取材はうまくいった。

　それどころか、おもに農村出身の彼らが国の将来に希望を抱いていること、まじめに働けばひとかどの生活ができるようになると考えていること、ゲームやアニメといった日本の文化的コンテンツに尊敬の念を抱いていることが知れた。

　ただ、そもそもこんな突撃取材ができるのは、私が20代で、失うものが少ないからだ。もしも私に子どもがいれば、あんな街に入る仕事など断っていた。

　だからこれは私の手柄というよりも、私くらいの年齢の者を思い切って現地に飛ばした、雑誌編集部の手柄なのだ。

だから、私はあなたに言いたい。頼むから、私たち若者をあなたの愚痴に付き合わせる案山子(かかし)としてではなく、経済的な鉄砲玉として使ってくれ。

あなたは若いころ、米国に対してそうしてきたではないか。

あなたが生き延びて帰り、この社会をここまで豊かにしたのは、上官の命令を忠実に守ったからではなく、自分の頭で考え、行動したからではないか。だからあなたは、私たちを、これほどまでに優れた次の世代を、育て上げることができたのではないか。

私たちにも、おなじようにやらせてくれ。そして私たちに子どもを作らせてくれ。

20代に機会を与えよ。我々に恩を与えよ。そうしなければ、私たちはもう、日本を捨てて、勝手にやる。それも一斉にではない、能力のある者から順番に、だ。

——その流れがすでに起こっていることを、知らないわけがなかろうが！

中国のタクシーの覇気を見よ

……という話を60代の父にしたところ、彼は私に聞いた。

「向こうでは、車はどんなものが走っている？」

私は見かけたロゴの社名をいくつか挙げた。

「運転の感じはどうだった?」

「イタリアと同程度だ」と私は答えた。

「だけど、もっと荒い。何度かタクシーに乗ったが、飛ばしまくる。混んでいるところではクラクションを連打しながら、割り込みまくって進む。そのくせ危なくはない。すばらしい運転技術だよ。40分かかるとナビに出ているところを35分で着く」

「その5分は大きいぜ」と父は言った。

「その5分でどれだけのことができる。商談の準備を確かめられる。仕事のイメージを描ける。煙草を一本つけて、気持ちを作れる」

「タクシーの助手席に乗っていたんだが、あの運転、なんだか親父の若いころを思い出したよ」

「その感覚は正しい」と彼は答えた。

「おれも若いころは、飛ばしまくりの割り込みまくりだった。いま思えば、そうやって経済が発展していたんだろうな。勤めていたころ、5時に帰社しなければならないときは、3時までに仕事を終えて、2時間ほど酒屋で角打ちしたもんさ。それでよかったし、酒屋にも金が落ちた」

私は深く頷いた。

ところで、最愛の妻を7年前に失った彼はいま、あたらしいフィリピーナの恋人をフーガの助手席に乗せて、何度目かの青春を楽しんでいる。まるで彼とともに、日本の物語が美しく終わるかのようだ。

しかし、勝手に終わられてはたまらない。私たちはまだ、あと50年は生きねばならないのだから。

深センの夜の街を歩いているとき、私の傍らにいた私と同年代のガイドは、つたない日本語で私に聞いた。

「どうすればもっと日本語がうまくなるだろうか?」

彼は私とともにスラム街に分け入り、勇敢な心でもって、貴重な証言を人々から聞き出してくれた男だった。

私は答えた。

「日本を、日本語をもっと好きになることだ。書店にある、中国語に翻訳された日本人作家の小説を読んで、お気に入りを見つけるんだ。それから、その小説の日本語版を買って、2冊を突き合わせて読む。そこで用いられている言葉は、言葉のプロによるものだ。だから、間違いない」
彼は深く頷いて言った。
「それはとてもいいアイデアです。ありがとう。やってみます」

書籍版への加筆

企業と個人による国際交流を促し、経済発展によって幸福を勝ち取らねばならない、といった意味のことを、この原稿は言おうとしているように見える。国家や文化の枠を越えてあたらしい可能性をひらくためには、向こう見ずな若い力が必要なので、彼らにもっと投資をするべきだ、というようなことも言っている。

国家の役割はまだ残っていると見ているようだが、経済的にはかなり左に寄っていて、なんとなく、サイバーパンクっぽい世界観だ。そこそこうまく書けている。加筆修正の依頼もあったが、状況が変わりすぎていて、手をつければ何もかも書き直すことになるだろうから、そのままにしておいた。

そう、これを書いてから6年が経ったのだ。

現在の世界は、どうなっているだろう?

疫病を経て右に寄った世界で、NATOとロシアが経済を回すために戦争をしている。現在というものは、予想されたものよりも、つねにすこしだけグロテスクである。

そういうわけで、この原稿において、いちばん悲しく用いられている言葉は「鉄砲玉」になるだろう。

2023年度の日本の防衛費予算は、前年比126・3%増の6兆8219億円で計上された。もうすぐ台湾でやる予定の、戦争のためだ。6年前に行われた請願が、めでたく通ったわけだ。これで若者たちは、鉄砲玉として海外に送ってもらえる。

よかった、よかった。

岡倉天心は言った、人間は二十で狂人、三十で失意の人になる（『茶の本』）。あの原稿中では狂人だった私も、三十路を越え、順当に失意を味わった。それでやっと、小説を書く決心がついた。

いま、執筆の手を止め、窓のむこうの青空を眺めていると、ものごとの本質はあまり変わっていないんじゃないか、と思うときもある。かつての私は、賽の河原の流れを鎮めようと、躍起になって原稿を書いては、投げ込んでいた。もちろん無意味だったが、やってみなくちゃわからない。革命は、火打石からでも起きるのだ。

いまは火打石で城を作っている。むかしほど見物客はいないが、誰かがたまにやってきて、なにかを言ってくれる。

そうやって一世紀が経ち、私もあなたも死んで、核爆弾が空から降ってきて、廃墟と荒野だけが残るだろう。

その程度のことでしかなかったのだ、という気分が、いまはしている。

とはいえ！　私はまだ諦めていない。いま書いている小説は、この気分を完全に否定し、人間の尊厳をもういちど取り戻すための試みである。

つまり、四十で詐欺師になり、五十で罪人になることを受け容れたわけだ。

そういうわけで、一緒にぼちぼちがんばっていきましょう。

日本のエリート学生が「中国の論理」に染まっていたことへの危機感

阿古智子(あこともこ)（東京大学大学院教授）

東京大学大学院総合文化研究科教授。1971年大阪府生まれ。大阪外国語大学外国語学部中国語学科卒業。名古屋大学大学院修士課程修了、香港大学大学院博士課程修了。在中国日本大使館専門調査員、早稲田大学准教授などを経て現職。専門は現代中国論。主な著書に『貧者を喰らう国――中国格差社会からの警告』（新潮選書）など。

初出：「現代ビジネス」2018年10月13日掲載

筆者は普段、大学で現代中国や中国語について教えており、学生団体のアドバイザーも務めている。

数年前、コメンテーターとして学生団体の討論会に招かれた。参加していたのは、日本、中国ともに国を代表するようなエリート学生ばかりで、日中学生の混合チームが、流暢に英語でプレゼンテーションした。

私がコメントを頼まれたのは、文化の多様性（cultural diversity）の分科会だった。はじめに、「文化とは、アイデンティティの一形態であり、共有された社会実践の知でもあります。多様性とは、維持するものでもあり、促進するものでもあります。マジョリティとマイノリティの間の対立をどう解決するか、互いにどのように譲歩すべきか。グローバル化は抗えない趨勢であり、異なる価値観やアイデンティティを受け入れる戦略が必要です」と、学生たちは素晴らしい問題意識を示した。

その後、「日本では言葉遣いがおかしいなどとして、飲食店などで働く外国人を差別する人が増えており、中国のファーストフードチェーンでは、イスラム教徒のためにハラルフードを入れる容器を別に準備したが、イスラム教徒でない人にメリットのないことでコストを増やすのかと反対の声が高まりやめてしまった」と、差別やマイノリティ軽視の事例が紹介された。

そして学生たちは、「誰をも傷つけず、全体に福利厚生を行き渡らせることは難しい。各民族にとって、何が決して譲歩できない、必ず抑えるべき基本的関心事項であるのかを考え、それぞれの文化を実践する権利を保障する必要がある」と説いた。

沖縄と中国の少数民族地区を比較

ここまでは、筆者の頭にもスムーズに話が入ってきたのだが、この後、首をかしげる展開になった。

学生たちは、事例として沖縄と中国の少数民族を取り上げたのだが、「高い同質性を求める日本社会は、沖縄の人たちを独立した民族として認めず、彼らの独自の言葉も文化も尊重せず、日本の国民として同化する政策を行ってきた。それに対して、中国の少数民族は集団的権利を認められており、その独自の言葉、宗教、文化は尊重され、教育や福祉においての優遇政策がうまくいっている」と説明したのだ。

そして最後に「日本は民族間の境界を曖昧にするが、中国ははっきりさせる。民族の分類が明確になれば、民族アイデンティティを喪失することはない」と結論付けた。

江戸時代に琉球が幕藩体制に巻き込まれていった経緯や、明治期の学校教育の普及の方法などを見れば、日本が近代国家を形成する中で沖縄を「同化」したと捉えることができるのだろう。

沖縄戦の悲劇や基地問題など、沖縄の多大な犠牲や負担の下に現在の日本が成り立っていることも事実だ。

しかし、過去と現在、未来のさまざまな文化的要素が交錯する中で、アイデンティティは複雑に形成される。そして、仮にも民主主義を採用している現在の日本において、一方的な「同化」など不可能だ。

中国の少数民族の文化は尊重され、優遇政策がうまくいっているというのは、いったい誰にどのように話を聞いて、そう判断したのか。

おそらく、学生のほとんどが沖縄に、中国の民族自治区に出向いて調査してはおらず、間接的にでさえ、現地の状況を詳しく調べたり、関係する人々に話を聞いたりはしていないのだろう。

学生たちが打ち出した極端に単純化されたロジックは、複雑な現実を反映しておらず、そこからつくられた問題解決のためのモデルは、実際に使えるような代物ではなかった。

特に、民族の分類や民族が重視する基本的関心事項を、「誰が、どのように決めているのか」という問いを、学生たちは分析の中に入れていなかった。

民族の定義や領域については多くの論争がある。中国では、党・政府が中心となって民族を規定し、民族政策を実施している。

基本的に、共産党政権が認める限られた少数民族のリーダー、専門家、社会団体しか、政策の決定・実施のプロセスに関わることができない。

あまりにもエリート主義的では？

ところで、中国は独自の「民主」＝「人民民主独裁」を実践しているが、これは、支配階級である「人民」（労働者階級と農民の労農同盟）が敵対階級（資本家階級）に対して独裁を加え、支配階級内部においては民主を実行するという考え方である。

いうまでもなく、この「人民民主独裁」が、現在の中国において実践されているとは言い難い。

また、「民主」には立憲主義的側面とポピュリズム的側面があると言われるが、中国の「人民民主独裁」は前者が大幅に欠落しており、権力を制御し、監視する力が弱い。

例えば、習近平政権が力を入れる反腐敗キャンペーンは、法よりも党紀を優先するものであり、権力者が政敵を倒す道具として濫用する可能性を孕んでいる。その一方で、政治のレトリックに満ちた宣伝活動で、人民の支持を集めることには力が入っている。

討論会の最後に私が、「僻地のコミュニティに入って、抑圧されている人たちの声を聞いたことがあるの？　あなたたちの視点は、あまりにもエリート主義的ではないか」と問うと、学生たちは黙り込んでしまった。

民主主義の価値を認識していない日本の若者

まるで、中国政府のスポークスパーソンの説明かと錯覚するような学生たちの発表を聞いていて、どうして日本で生まれ育った学生までもが、このような内容に違和感を覚えないのか不思議に思った。

この分科会だけでなく他でも、学生たちは耳を疑うようなことを言っていた。

例えば、「日本では、中国の人々が厳しいサイバースペースの統制を不満に感じていると分析するが、そのような固定観念で見てはいけない。効率的に社会に悪影響を与えるサイトを遮断し、著作権法に違反する行為を取り締まるなど、中国は日本ができていないことをやっている」と。

「日本のウェブサイトはポルノだらけで、ヘイトスピーチも効果的に取り締まっていない。中国は、社会の安定を維持することに最大限の配慮をしている」のだと。

討論会終了後に、たくさんの学生が私の元に来て質問し、アドバイスを求めた。中国の学生2人は、国民国家の民族アイデンティティをどう考えればよいのか、社会的弱者を理解するためのフィールドワークをどう行ったらよいのか、オススメの本はあるかなど、私に質問した。

彼らが帰った後も日本の学生たちは熱心で、教室が閉まるまで残り、私に意見を求めた。日本といっても、親が中国人で、日本で育った学生もいるし、「日本人」「中国人」と単純な分類は禁物なのだが。

学生たちは、私や他のコメンテーターの指摘を受けて、今回の発表の問題点に気付いたようだった。実際のところ、学生たちは討論会の準備にあまり時間を割けず、議論の流れを中国の学生たちに任せたところが大きかったという。大人数のグループで、母語ではない英語を使い、発表を準備するのが容易ではないことは想像できる。

さらに、学生はこのようなことも言っていた。どこの国にも、地域にも、それぞれの状況に適した民主、自由、権利、文化があると考え、相対的にそれらを捉えると、政治制度について議論しづらくなるのだと。

学生たちのこのような対応は、規制が厳しい中国の事情を考え、中国の学生に配慮してのことなのかと思ったが、そうでもないようだ。

日本の一部の商業メディアは、中国や韓国の負の側面ばかりを取り上げ、見下すような視点から、面白おかしく書き立てる。目も当てられないようなヘイトスピーチも横行している。良識を保ち、他者を理解しようとする学生たちの姿勢もあるのだろう。

しかし、学生たちもレベルの低い商業メディア同様、「日本は」「中国は」と国単位で物を見すぎてしまうから、このような議論に終始してしまうのではないか。

自らの体験を通しての発見や、具体的な事例研究に基づく分析を丁寧に行えば、拙速に、短絡的な結論を出すことはなくなるはずだ。

さらに、今回日本の学生に関して強く感じたのは、戦後、日本が懸命に築いてきた民主主義や言論の自由の価値を、あまり理解していないということだ。

今の日本が平和すぎるから、当たり前のようにある権利や自由に、ありがたみを感じないのだろうか。

「政治的中立性」の問題

日本を代表するエリート学生がこんな調子では、日本は外交や国際舞台で活発に主張を展開できず、存在感が薄れていくのではないか。

討論会に参加していた学生の中には、中央省庁に進路が決まっている者もいた。正直、教員として、大学教育のあり方を問い直さなければならないと危機感を感じた。

筆者には公立小学校に通っている息子が１人いるのだが、そこでの教育のあり方にも疑問を覚えることがある。

この学校の周辺一帯は、治安維持法制定以後、多くの思想犯が収監された旧中野刑務所（豊多摩監獄、１９１５年開所）だった。小学校は現在の場所から歩いて数分のところに新校舎を建設する予定で、そこには、旧刑務所のレンガ造の正門（通称「平和の門」）が残っている。

天才建築家、後藤慶二設計による作品として現存する唯一のもので、建築家が中心の市民団体が保存・活用を訴えている。門と言っても、大きな2階建ての家ぐらいの広さがあり、耐震補強すれば、平和学習や地域活動の拠点として活用できるというのが、市民団体の考えだ。

しかし新校舎の建設予定地に門が残っており、近いうちにとり壊すか、保存・活用するかを決めなければならないにもかかわらず、小学校は何の姿勢も示してこなかった。

また、小学生には難しい内容であり、さらに学習指導要領の範囲外であるとして、刑務所に関わる地域の歴史を一切教えてこなかった。

「小学生には教えられない」という学校側の説明に対して、子どもを馬鹿にしているような気がしてならなかった（2021年6月に「旧豊多摩監獄表門」は中野区指定有形文化財となった）。

筆者はこの夏、スウェーデンの教育現場を視察したが、スウェーデンの小学生向けのテキストは、独裁制国家では政府がメディアを規制・監視しているが、民主制国家では人々が自分の意見を自由に発信できると説明し、生徒がソーシャルメディアなどを利用して世論を形成するコツまで記している。

以前訪れたドイツでも、子どもたちが身近な問題を通して、当事者意識をもって政治を学ぶことができるよう、工夫していた。これらの国々では、子どもを「小さな大人」として、「一人の人間」として尊重している。

日本の教育基本法第14条第1項は、「良識ある公民として必要な政治的教養は、教育上尊重されなければならない」と規定しているが、第2項には、「法律に定める学校は、特定の政党を支持し、又はこれに反対するための政治教育その他政治的活動をしてはならない」とある。

現場の教員たちは常に、「政治的中立性」を考えなければならず、論争になっている問題には触れたがらない。

しかし、現実の社会には問題が山積している。考える力、行動する力のある人間が育たないなら、これからの日本を誰が支え、盛り上げていくというのか。

世界を見渡せば、刑務所や戦争に関する歴史的建造物を、学びの材料として活用している事例は数多い。厳しい言論統制を敷いていた時代から、平和な現在の日本に至ったプロセスを学ぶのに、「平和の門」は格好の教材ではないか。

戦後日本が築いてきた民主主義国家の基礎を崩すことなく、確実に次世代に伝え、国際社会において日本が民主国家としての役割を果たすためにも、教育現場における行き過ぎた政治のタブー化はやめるべきではないだろうか。

後日談

ここで紹介した学生団体の日本の学生たちは、私の書いた文章を見て驚き、研究室に相談しに来た。その後、彼らは勉強会の仕方を見直し、試行錯誤しながら活動を続けた。

コロナウィルス感染予防の規制が完全には解けておらず、まだ日本と中国の間で自由に行き来できなかった2023年2月、日中の学生たちは顔を合わせての交流をなんとしても再開したいと、香港で落ち合った。香港では国家安全維持法が施行されており、民主派の政治家やデモに関わった活動家だけでなく、インターネットに投稿した言葉ひとつで一般の市民が逮捕されるなど、政治的弾圧が厳しくなり、言論空間の自己規制や萎縮が進んでいる。

こんな状態で交流しても意義のある活動になるのか、学生たちの身の安全が保障できるのか。香港行きの計画について、学生たちは何度も私のもとに相談にきたが、最終的に、リスクを管理しながら行動しようということになり、私も活動のアレンジを手伝った。

私は学生たちに同行できず、活動が無事進んでいるのか心配で気が気でなかったが、最終日、学生たちの発表会をオンラインで聞いて感極まり、思わず涙してしまった。学生たちは緊張しながらも、しっかり膝を突き合わせて議論し、思考を深めていると感じたからだ（中国から教員や党支部関係者が同行せず、学生たちは比較的自由に話せたという事情もあるが）。

そして、日本の学生の一人は報告書にこう記している。「私たちは〝やはりデモクラシーは重要だ〟という共通認識に達した」。

いまの若者たちにとって「個性的」とは否定の言葉である

土井隆義（どいたかよし）（筑波大学教授）

1960年、山口県生まれ。社会学者。筑波大学人文社会系教授。著書に『若者の気分――少年犯罪〈減少〉のパラドクス』（岩波書店）、『友だち地獄――「空気を読む」世代のサバイバル』（ちくま新書）、『キャラ化する／される子どもたち――排除型社会における新たな人間像』『つながりを煽られる子どもたち――ネット依存といじめ問題を考える』『「宿命」を生きる若者たち――格差と幸福をつなぐもの』（以上、岩波ブックレット）など多数。

初出：「現代ビジネス」2017年6月6日掲載

「個性的だね」は差別語なのか？

以前、毎日新聞記者の小国綾子（おぐにあやこ）さんからこんなエピソードをうかがったことがある。LINE株式会社の出前授業に付き添い、中学校を訪問した時のことだそうだ。

「友だちから言われて最もイヤな言葉は？（1）まじめだね（2）おとなしいね（3）天然だね（4）個性的だね（5）マイペースだね」との問いかけに対し、一番多かった回答は「（4）個性的だね」だったという。

「まさか！」と耳を疑った彼女に向かって、生徒たちは口々にこう語ったそうだ。

「個性的と言われると、自分を否定された気がする」「周囲と違うってことでしょ？どう考えてもマイナスの言葉」「他の言葉は良い意味にも取れるけど、個性的だけは良い意味に取れない」「差別的に受け取られるかも」等々——。

驚かれるかもしれないが、どうやらこの中学生たちだけが特殊というわけでもないらしい。

2016年、日本生産性本部が実施した新入社員「働くことの意識」調査では、昇進したいポストを「社長」と答えた者が過去最低の10・8％、最多は「役職に付きたくない＋

どうでもよい」の20％だった。

働き方を尋ねた設問では、「人並みで十分」が過去最多の58・3％、「人並み以上」は34・2％にすぎなかった。

考えてみれば、先の中学生たちもすでに高校を卒業して、いまは社会人になっていることだろう。あるいは大学へ進学した者も、そろそろ社会に出る頃だろう。

もちろん、この世代の人たちに「個性的な人間でありたい」と切望する気持ちがないわけではあるまい。どんな人間だろうと自分の存在意義を求めようとするものだ。

しかし、その思いをストレートに口に出すと、周囲から自分だけが浮いてしまう。みんなと同じでなければ安心できず、たとえプラスの方向であったとしても自分だけが目立つことは避けたい。

近年はそんな心性が広がっているように見受けられる。

変容するコミュニケーション様式

ネットの発達も相まって、若者世代では人間関係の希薄化が進んでいる——。近年は、そんな指摘もしばしば耳にする。

しかし、実際に彼らに声をかけてみれば、意外と付き合いの良いことに気づかれるだろう。

統計数理研究所が実施している「日本人の国民性」調査の最新データによると、「上役と仕事以外のつき合いはあった方がよい」と考える者の割合は若年層ほど高く、20代ではじつに70％を占める。

「家族的な雰囲気のある会社につとめたい」と考える者も同様の傾向を示しており、20代の50％がそう思うと回答している。

もっとも、彼らのコミュニケーション様式が上の世代と異なっていることには留意しておくべきである。おそらく現在40代から上の世代は、濃密な関係を取り結ぶためには相手のことを総体的に理解しておかなければならないと考えるだろう。

しかし、下の世代は違う。当面の付き合いにとって必要な情報だけを共有できていれば、それで十分に濃密な関係を築くことができると考える。いわば全面総括型ではなく、一極集中型のコミュニケーション様式へと変貌している。

このような違いが生じているのは、昨今の日本では人間関係の流動性が高まっており、その最前線にいるのが若年層だからである。かつて人間関係が固定的だった時代には、人々は親密な相手と否応なく全人的に付き合わざるをえなかった。

しかし、流動性が高まってくると、その前提は崩れ去っていく。各々の局面で付き合う相手を切り替えることが容易なため、その場面で必要とされる情報だけで十分に親密な関係が成立しうると感じられるのである。

上の世代から眺めたとき、若年層の人間関係が希薄化しているように映るのは、おそらくこの感覚の相違によるところが大きい。総体的な関わり合いを前提としていると、部分的につながっている関係はどうしても希薄なものに見えてしまう。

しかし、そもそもアイデンティティが不変不動の一貫したものではなくなり、場面ごとに切り替わる変幻自在なものになっているとすれば、現在とは違う場面における自分を目前の相手にあえて呈示しないことは、その相手に対してむしろ誠実な態度といえなくもない。そんなものを顕わにされても、相手は戸惑うだけだからである。

「一匹狼」より「ぼっち」の回避

ところで、人間関係の流動性が高まったという事実は、それだけ制度的な枠組みが拘束力を失っていることを意味する。

裏を返せば、制度的な枠組みが人間関係を保証してくれる共通の基盤ではなくなり、それだけ関係が不安定になってきたということでもある。

既存の制度に縛られることなく、付き合う相手を勝手に選べる自由は、自分だけでなく相手も持っている。関係の自由度の高まりは、自分が相手から選んでもらえないかもしれないリスクの高まりとセットなのである。

冒頭で紹介した「個性的であること」が忌避される理由も、じつはここにある。「個性的であること」は、組織からの解放を求めるには好都合だが、組織への包摂を求めるには不都合である。自分の安定した居場所が揺らぎかねないからである。

今日の若者たちは、かつてのように社会組織によって強制された鬱陶しい人間関係から解放されることを願うのではなく、その拘束力が緩んで流動性が増したがゆえに不安定化した人間関係へ安全に包摂されることを願っている。

もちろん、前者が後者へと完全に入れ替わったわけではないが、少なくともその比重は大きく移り変わっている。

かつて人間関係が不自由だった時代の若者たちは、強制された関係に縛られない「一匹狼」に人間的な魅力を感じて憧れたものだった。

しかし、今日の若者たちは、一人でいる人間を「ぼっち」と呼んで蔑みの対象とするようになっている。一人でいることは関係からの解放ではなく、むしろ疎外を意味するからである。

既存の社会制度の束縛から解放され、自由な関係を築けるようになったのに、それでも一人でいる者は、誰からも選ばれない人間的魅力を欠いた人物とみなされ、否定的に捉えられてしまう。

逆にいえば、人間関係に恵まれているという事実こそが、人間的魅力を示す重要な指標となっている。それを端的に示しているのが「リア充」という言葉である。

一人ぼっちでも充実していることを意味する「ぼっち充」という言葉があるのも事実である。しかし、それも「リア充」な人たちに対する反発という感がぬぐえない。あるいは、「ぼっち」回避の疲弊感からくる反動といえなくもない。

かつてと比較すれば、現在の日本は確かに一人でも生活しやすい社会になった。しかし、そうやって人間関係のしがらみから解放され、自由度の高い社会になったからこそ、つねに誰かとつながっていなければ逆に安心できなくなっている。

それを欠いた人間は、価値のない人物と周囲から見られはしないかと他者の視線に怯(おび)え、また自身でも価値のない人間ではないかと不安に慄(おのの)くようになっている。その意味で、じつは今日は、皮肉なことに一人で生きていくことがかつて以上に困難な時代なのである。

ゆとり世代といかに接するべきか

日本能率協会が実施している新入社員意識調査には、理想の上司像を尋ねた設問がある。その近年の回答を見ると、仕事について丁寧な指導をする上司の人気が高く、仕事を任せて見守る上司の人気は低い。

ところが現在の上司に同じ質問をすると、まったく逆の回答が得られる。おそらく現在の上司は、かつて自分たちが若かった頃に、上司を鬱陶しい存在と感じていたからだろう。ここに世代間の意識の大きなギャップがある。端的にいえば、今日の若者には、上司や仲間から「見られているかもしれない不満」よりも、「見られていないかもしれない不安」のほうが強いのである。

社会的動物である人間は、他者からの承認によって自己肯定感を育み、維持していく存在である。その機序は昔も今も変わらないだろう。

ただし、個性的であることが憧れでありえた時代に私たちに強力な承認を与えていたのは、社会的な理想や信念といったいわば抽象的な他者だった。その評価の基準は普遍的で安定しており、いったん内面化された後は人生の羅針盤として機能しえた。

それに対して今日では、社会が後景化して抽象的な他者のリアリティが失われた結果、身近な周囲にいる具体的な他者の評価が前面にせり出している。しかもその評価の基準は、場の空気次第で大きく揺れ動いてしまう。そのため都度ごとに相手の反応を探りあわなければならなくなっている。

今日の若者たちがゆとり世代と呼ばれ、その生き方が生ぬるいと批判される理由もここにある。確かにこの世代の人たちは、がつがつとしたハングリーな生き方を「意識高い系」や「ガチ勢」と呼んで揶揄（やゆ）したりする。

しかしそれは、一人だけが頑張って周囲から浮いてしまうと、コミュニケーション能力の欠如した空気が読めない人物と看做（みな）されかねないからである。逆に言えば、みんなが一緒に頑張っているときに一人だけが怠惰なのも、今日ではかつて以上に嫌われる。

「そんなことやってられねえよ」と、斜に構えた態度が不良的で格好よく見えた時代もあったが、今日ではまったく事情が異なっている。優等生が増えたように見えるのもそのためである。良くも悪くも周囲から目立つことは、自分の居場所を不安定にすることであり、ともかくご法度なのである。

ゆとり世代の若者たちは、やる気の足りない人間というわけではなく、人間関係に対して過剰なほど気遣いを示す人々だと考えたほうがよい。「個性的であること」が忌避されるとしても、周囲から承認されるための自己有用感は互いに強く求め合っている。

したがって、チーム全体でやる気を出し、創造力を発揮するのはむしろOKだといえる。事実、クールジャパンとして世界に誇る日本発のコンテンツの多くは、若者たちがチームを組んで共同作業で生み出したものであることを想起すべきである。

職場の中でゆとり世代の若者たちと向き合う上司の方々は、そんな彼らの心情を察しつつ接するべきだろう。それが感性の豊かな彼らの創造力をうまく活かす道であり、企業の業績アップにもつながっていくはずである。

彼らの生きてきた環境に想像力を巡らせることなく、ただ単に憂えてみせているだけでは、新旧どちらの世代にとっても、したがって今後の日本社会にとっても、結局は不幸な結果に陥ってしまいかねない。そのことは肝に銘じておいたほうがよい。

日本の学校から「いじめ」が絶対なくならないシンプルな理由

内藤朝雄（ないとうあさお）（明治大学准教授）

1962年、東京生まれ。東京大学大学院総合文化研究科国際社会科学専攻博士課程を経て、現在、明治大学文学部准教授。専門は社会学。単著『いじめの構造――なぜ人が怪物になるのか』（講談社現代新書）、『いじめの社会理論』『〈いじめ学〉の時代』（以上、柏書房）、『いじめと現代社会』（双風舎）、共著『学校が自由になる日』（宮台真司・藤井誠二氏との共著、雲母書房）、『「ニート」って言うな！』（本田由紀・後藤和智氏との共著、光文社新書）、『いじめの直し方』（荻上チキ氏との共著、朝日新聞出版）、論文「学校の秩序分析から社会の原理論へ――暴力の進化理論・いじめというモデル現象・理論的ブレークスルー」（『岩波講座　現代　第8巻　学習する社会の明日』、岩波書店）、「学校のいじめのメカニズム――IPS理論、群生秩序、コスモロジー、自己裂開規範を用いて」（『精神医学』第63巻第2号、医学書院）などがある。

初出：「現代ビジネス」2017年2月9日掲載

最近、また「いじめ」が大きなニュースとなっている。なぜいまだに根本的な解決にいたっていないのだろうか。

いじめは1980年代なかば以降、人びとの関心をひく社会問題になったが、いじめ対策は効果をあげていない。

それは、学校に関する異常な「あたりまえ」の感覚が一般大衆に根強く浸透してしまっているからである。マス・メディアや政府、地方公共団体、学校関係者、教育委員会（教委）、教育学者や評論家や芸能人たちがでたらめな現状認識と対策をまき散らし、一般大衆がそれを信じ込んでしまうためでもある。

私たちが学校に関して「あたりまえ」と思っていることが、市民社会のあたりまえの良識を破壊してしまう。この学校の「あたりまえ」が、いじめを蔓延させ、エスカレートさせる環境要因となっているのだ。

きわめてシンプルな「いじめ対策」

いじめを蔓延させる要因は、きわめて単純で簡単だ。

一言でいえば、**①市民社会のまっとうな秩序から遮断した閉鎖空間に閉じこめ、②逃**

げることができず、ちょうどよい具合に対人距離を調整できないようにして、強制的にベタベタさせる生活環境が、いじめを蔓延させ、エスカレートさせる。

対策は、次のこと以外にはまったくありえない。

すなわち、**①学校独自の反市民的な「学校らしい」秩序を許さず、学校を市民社会のまっとうな秩序で運営させる。②閉鎖空間に閉じこめて強制的にベタベタさせることをせず、ひとりひとりが対人距離を自由に調節できるようにする。**

まず、本稿執筆時に注目を浴びたいじめ報道を手がかりに、私たちが学校という存在をいかに偏(かたよ)った認識枠組で見ているかを浮き彫りにしていこう。

福島第一原発事故のあと横浜市に自主避難していた子どもが、何年にもわたって学校でいじめを受けていた。そして何年ものあいだ、教員たちはいじめを放置した。その経緯のなかで150万円もの金をゆすられたと保護者は訴えた。金を払ったのはいじめから逃れるためだったと被害者は言う。いじめ加害者たちはおごってもらったのだと言う。

メディアはこれを報道しはじめた——。横浜市の岡田優子教育長（当時）が、「金銭授受をいじめと認定できない」と発言したのに対し、被害者側が「いじめ」認定を求める所見を提出したのが報じられると、世論が沸騰し、さらに報道が大きくなった。

「横浜いじめ放置に抗議する市民の会」は金銭授受を「いじめ」と認めるよう、2000人ほどの署名を添えて横浜市長と教育長に要望書を提出した。これと連動して、他の地域でも原発避難者の子どもが学校で迫害されたという報道がなされた。

学校のような生活環境では、ありとあらゆることがきっかけとして利用され、いじめが蔓延しエスカレートしやすい。原発事故からの避難者にかぎらず、学校で集団生活をしていれば、だれがこのような被害をこうむってもおかしくない。

問題の本質は、学校が迫害的な無法状態になりがちな構造にある。

いじめは教育の問題なのか？

まともな市民社会の常識で考えれば、他人をいためつけ、おどして、その恐怖を背景に金をまきあげれば犯罪である。「おごってもらっただけだ」という言い訳は通用しない。たとえば、暴力団が何年ものあいだいためつけ続けた被害者に対して、恐怖を背景に大金を「おごり」名目で巻き上げた場合と同じことが、いじめの加害者たちについてもいえる。

学校をなんら特別扱いしないで見てみよう。すると、地方公共団体が税金で学習サービスを提供する営業所（学校）内部で、このような犯罪が何年も放置されたということが、問題になるはずである。

しかも公務員（教員）がそれを放置していたことも重大問題である。公務員は、犯罪が生じていると考えられる場合は、警察に通報する義務がある。知っていて放置した公務員（教員）は懲戒処分を受けなければならない。

このような市民社会のあたりまえを、学校のあたりまえに洗脳された人は思いつきもしない。ここで生じていることは無法状態であり、犯罪がやりたい放題になることである。これは社会正義の問題である。

ここで「いじめ」という概念の使い方について考えてみよう。

筆者は「いじめ」という概念を、ものごとを教育的に扱う認識枠組として用いていない。人間が群れて怪物のように変わる心理—社会的な構造とメカニズムを、探求すべき主題として方向づける概念として「いじめ」を用いている。

それに対して、誰かに責任を問うための概念としては、「いじめ」という概念を使うべきではない。責任を問うために使うものとしては、侮辱、名誉毀損、暴行、強要、恐喝などの概念を使わなければならない。

だが、多くの人びとは「いじめ」という言葉を使うことでもって、ものごとを正義の問題ではなく、教育の問題として扱う「ものの見方」に引きずり込まれてしまう。市民社会のなかで責任の所在を明らかにする正義の枠組を破壊し、それを「いじめ」かどうかという問題にすりかえてしまう。

そして悲しいことに、学校で起きている残酷に立ち向かおうという情熱を持っている人たちも、そのトリックにひっかかってしまう。

認定すべきは、犯罪であり、加害者が触法少年であることであり、学校が犯罪がやり放題になった無法状態と化していたことだ。そして責任の所在を明らかにすることだ。

警察が加害少年を逮捕・補導する。犯罪にあたる行為を行った加害者が責任能力を問えない触法少年であれば、児童相談所に通告し、場合によっては収容する。

被害者を守るために加害者を学校に来させないようにする。放置した教員を厳しく処分する。加害者の保護者は、高額の損害賠償金を被害者に払う。学校が無法状態になりがちな構造を制度的に改革する。

それにしても、公的に責任を問う局面で犯罪認定すべきところを「いじめ」扱いでお茶を濁すこと自体が不適切なのに、さらにそのなけなしの「いじめ」認定すら教育長はしない。その意味でこの教育長は解職すべきであるし、市長が動こうとしなければ次の選挙で落とすべきである（のちに教育長は「いじめ」と認め、謝罪した）。

もちろん起きていることは、責任を問う局面で犯罪であり、かつ、場の構造を問う局面で「いじめ」である。これが「いじめ」でなくて、何を「いじめ」というのかというぐらい、「いじめ」である。中井久夫氏がいうところの透明化段階にまで進行した「いじめ」である（中井久夫「いじめの政治学」『アリアドネからの糸』〈みすず書房〉所収）。

もっとも重要なことは、加害者たちは学校で集団生活をおくりさえしなければ、他人をどこまでもいためつけ、犯罪をあたりまえに行うようにはならなかったはずである、ということだ。

つまり、学校が人間を群れた怪物にする有害な環境になっているということが、ひどいいじめから見えてくる。これが根幹的な問題なのだ。

外部の市民社会の秩序を、学校独自の群れの秩序で置き換えて無効にしてしまう有害な効果が学校にはある。これは、たまたまいじめが生じていない場合でも有害環境といえる。

「学校とはなにか」――それが問題だ

最も根幹的な問題は、「学校とはなにか」ということであり、そこからいじめの蔓延とエスカレートも生じる。

わたしたちが「あたりまえ」に受け入れてきた学校とはなんだろうか。いじめは、学校という独特の生活環境のなかで、どこまでも、どこまでもエスカレートする。

先ほど例にあげた横浜のいじめが、数年間も「あたりまえ」に続いたのも、学校が外の市民社会とは別の特別な場所だからだ。社会であたりまえでないことが学校で「あたりまえ」になる。

学校とはどのようなところか。最後にその概略をしめそう。

日本の学校は、あらゆる生活（人が生きることすべて）を囲いこんで学校のものにしようとする。学校は水も漏らさぬ細かさで集団生活を押しつけて、人間という素材から「生徒らしい生徒」をつくりだそうとする。

これは、常軌を逸したといってもよいほど、しつこい。生徒が「生徒らしく」なければ、「学校らしい」学校がこわれてしまうからだ。

たとえば、生徒の髪が長い、スカートが短い、化粧をしている、色のついた靴下をはいているといったありさまを目にすると、センセイたちは被害感でいっぱいになる。

「わたしたちの学校らしい学校がこわされる」

「おまえが思いどおりにならないおかげで、わたしたちの世界がこわれてしまうではないか。どうしてくれるんだ」

というわけだ。

そして、生徒を立たせて頭のてっぺんからつま先までジロジロ監視し、スカートを引っ張ってものさしで測り、いやがらせで相手を意のままに「生徒らしく」するといった、激烈な指導反応が引き起こされる。

この「わたしたちの世界」を守ることにくらべて、一人ひとりの人間は重要ではない。人間は日々「生徒らしい」生徒にされることで、「学校らしい」学校を明らかにする素材にすぎない。

多くのセンセイたちは、身だしなみ指導や挨拶運動、学校行事や部活動など、人を「生徒」に変えて「学校らしさ」を明徴（めいちょう）するためであれば、長時間労働をいとわない。

その同じ熱心なセンセイたちが、いじめ（センセイが加害者の場合も含む）で生徒が苦しんでいても面倒くさがり、しぶしぶ応対し、ときに見て見ぬふりをする。私たちはそれをよく目にする。

ある中学校では、目の前で生徒がいじめられているのを見て見ぬふりしていたセンセイたちが、学校の廊下に小さな飴の包み紙が落ちているのを発見したら、大事件発生とばかりに学年集会を開いたという（見て見ぬふりをされた本人〈現在大学生〉の回想より）。こういったことが、典型的に日本の学校らしいできごとだ。

こういった集団生活のなかで起きていることを深く、深く、どこまでも深く掘りさげる必要がある。

さらにそれが日本社会に及ぼす影響を考える必要がある。学校の分析を手がかりにして、人類がある条件のもとでそうなってしまう、群れたバッタのようなありかたについて考える必要がある。

学校で集団生活をしていると、まるで群れたバッタが、別の色、体のかたちになって飛び回るように、生きている根本気分が変わる。何があたりまえであるかも変わる。こうして若い市民が兵隊のように「生徒らしく」なり、学習支援サービスを提供する営業所が「学校らしい」特別の場所になる。

この「生徒らしさ」「学校らしさ」は、私たちにとって、あまりにもあたりまえのことになっている。だから、人をがらりと変えながら、社会の中に別の残酷な小社会をつくりだすしくみに、私たちはなかなか気づくことができない。

しかし学校を、外の広い社会と比較して考えてみると、数え切れないほどの「おかしい」、「よく考えてみたらひどいことではないか？」という箇所が見えてくる。

市民の社会では自由なことが、学校では許されないことが多い。

たとえば、どんな服を着るかの自由がない。制服を着なければならないだけでなく、靴下や下着やアクセサリー、鞄、スカートの長さや髪のかたちまで、細かく強制される。どこでだれと何を、どのようなしぐさで食べるかということも、細かく強制される（給食指導）。社会であたりまえに許されることが、学校ではあたりまえに許されない。

逆に社会では名誉毀損、侮辱、暴行、傷害、脅迫、強要、軟禁監禁、軍隊のまねごととされることが、学校ではあたりまえに通用する。センセイや学校組織が行う場合、それらは教育である、指導であるとして正当化される。

正当化するのがちょっと苦しい場合は、「教育熱心」のあまりの「いきすぎた指導」として責任からのがれることができる。生徒が加害者の場合、犯罪であっても「いじめ」という名前をつけて教育の問題にする。

こうして、社会であたりまえに許されないことが、学校ではあたりまえに許されるようになる。

全体主義が浸透した学校の罪と罰

学校は「教育」「学校らしさ」「生徒らしさ」という膜に包まれた不思議な世界だ。その膜の中では、外の世界では別の意味をもつことが、すべて「教育」という色で染められてしまう。そして、外の世界のまっとうなルールが働かなくなる。

こういったことは、学校以外の集団でも起こる。

たとえば、宗教教団は「宗教」の膜で包まれた別の世界になっていることが多い。オウム真理教教団(1995年に地下鉄サリン事件を起こした)では、教祖が気にくわない人物を殺すように命令していたが、それは被害者の「魂を高いところに引き上げる慈悲の行い(ポア)」という意味になった。また教祖が周囲の女性を性的にもてあそぶ性欲の発散は、ありがたい「修行(ヨーガ)」の援助だった。

また、連合赤軍(暴力革命をめざして強盗や殺人をくりかえし、1972年にあさま山荘で人質をとって銃撃戦を行った)のような革命集団でも、同じかたちの膜の世界がみられる。

そこでは、グループ内で目をつけられた人たちが、銭湯に行った、指輪をしていた、女性らしいしぐさをしていたといったことで、「革命戦士らしく」ない、「ブルジョワ的」などといいがかりをつけられた。そして彼らは、人間の「共産主義化」「総括」を援助するという名目でリンチを加えられ、次々と殺害された。

学校も、オウム教団も、連合赤軍も、それぞれ「教育」「宗教」「共産主義」という膜で包み込んで、内側しか見えない閉じた世界をつくっている。そして外部のまっとうなルールが働かなくなる。よく見てみると、この三つが同じかたちをしているのがわかる（図1）。

このようにさまざまな社会現象から、学校と共通のかたちを取り上げて説明するとわかりやすい。あたりまえすぎて見えないものは、同じかたちをした別のものと並べて、そのしくみを見えるようにする。たとえば、学校とオウム教団と連合赤軍をつきあわせて、普遍的なしくみを導き出すことができる。

こうして考えてみると、学校について「今まであたりまえと思っていたが、よく考えてみたらおかしい」点が多くあることに気づく。

これらのポイントに共通していえるのは、クラスや学校のまとまり、その場のみんなの

図1 さまざまな現象にみられるメカニズムの同型性

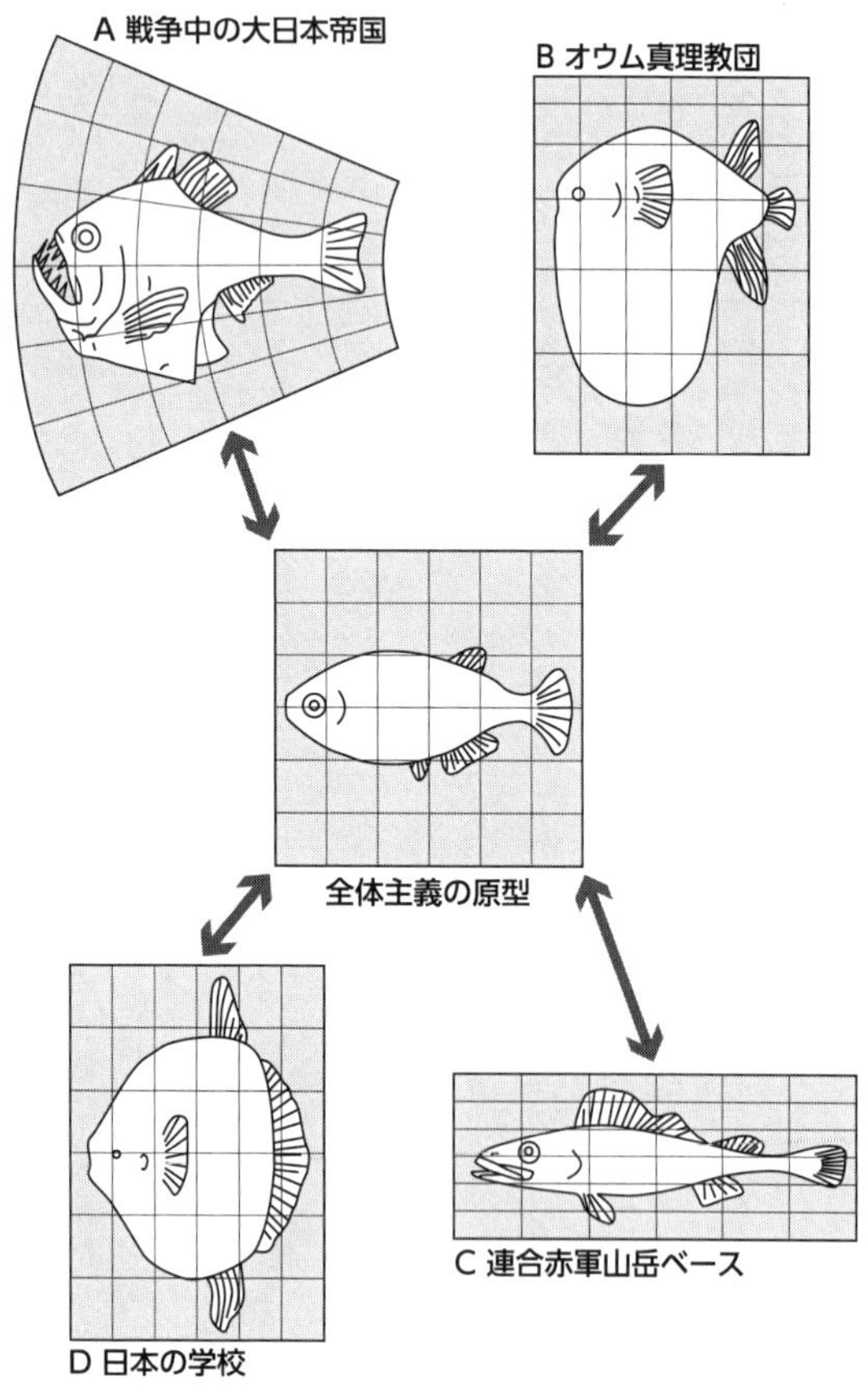

出典:D'Arcy Thompsonの図を参考に筆者作成

図2 人間が生徒らしい生徒に変わる変換の連鎖としての学校らしい学校

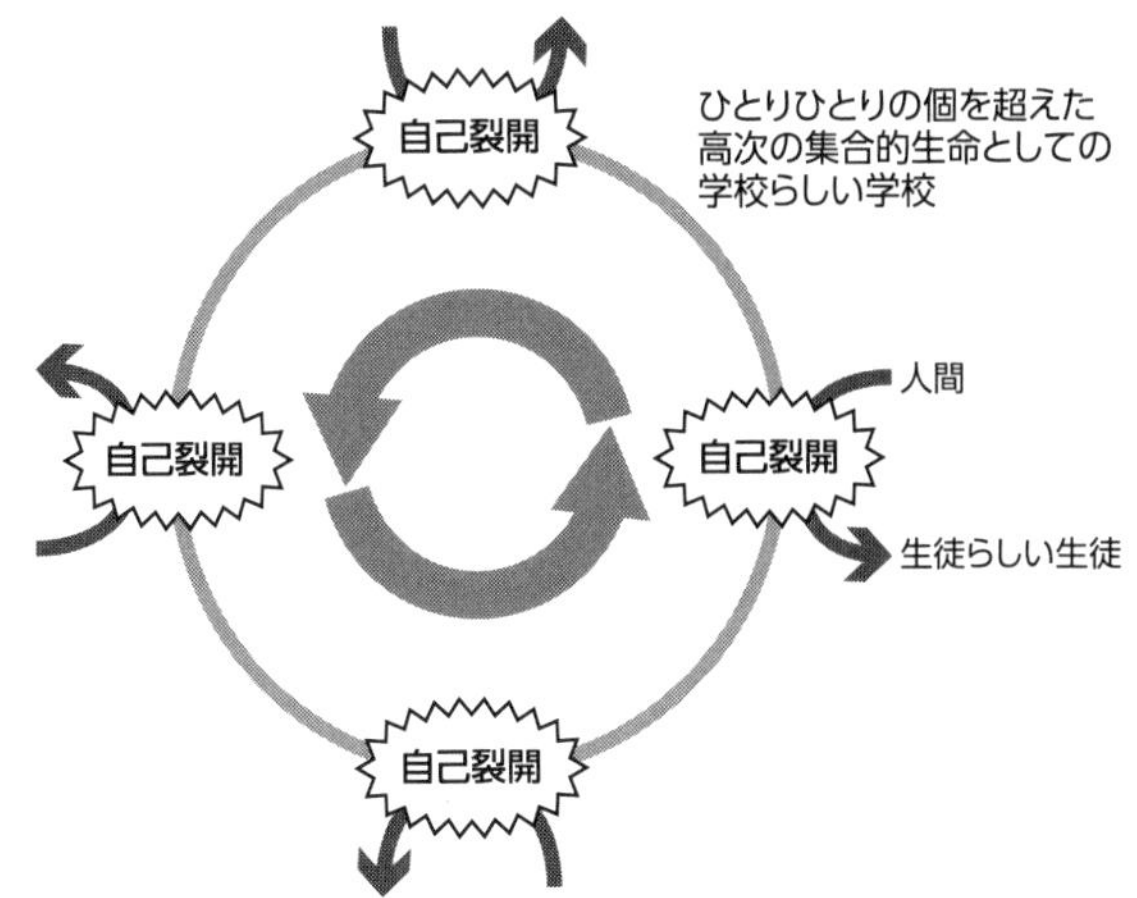

出典:内藤朝雄「学校のいじめのメカニズム」(『精神医学』第63巻第2号)より

気持ちといった全体が大切にされ、かけがえのない一人ひとりが粗末にされるということだ。全体はひとつの命であるかのように崇拝される。

この全体の命が一人ひとりの形にあらわれたものが「生徒らしさ」だ。だから学校では、「生徒らしい」こころをかたちであらわす態度が、なによりも重視される。これは大きな社会の全体主義とは別のタイプの、小さな社会の全体主義だ(図2)。

大切なことは、人が学校で「生徒らしく」変えられるメカニズムを知ることだ。それは、自分が受けた洗脳がどういうものであったかを知る作業であり、人間が集団のなかで別の存在に変わるしくみを発見する旅でもある。

ある条件のもとでは、人と社会が一気に変わる。場合によっては怪物のように変わる。この人類共通のしくみを、学校の集団生活が浮き彫りにする。

学校の全体主義と、そのなかで蔓延しエスカレートするいじめ、空気、ノリ、友だち、身分の上下、なめる—なめられる、先輩後輩などを考えることから、人間が暴走する群れの姿を明らかにすることができる。学校という小さな社会の全体主義とそのなかのいじめを考えることから、人間の一面が見えてくる。

わたしたちは長いあいだ、学校で行われていることを「あたりまえ」と思ってきた。あたりまえどころか、疑いようのないものとして学校を受け入れてきた。

だからこれを読んだ読者は、「こんなあたりまえのことをなぜ問題にするのだろうか」と疑問に思ったかもしれない。だが、その「あたりまえ」をもういちど考え直してみることが大切だ。

理不尽なこと、残酷なことがいつまでも続くのは、人がそれを「あたりまえ」と思うからだ。それがあたりまえでなくなると、理不尽さ、残酷さがはっきり見えてくる。逆にあたりまえであるうちは、どんなひどいことも、「ひどい」と感じられない。歴史をふりかえってみると、このことがよくわかる。

これを読んで心にひっかかっていたものが言葉になったときの、目から鱗が落ちるような体験を味わっていただければと思う。

家族はコスパが悪すぎる？ 結婚しない若者たち、結婚教の信者たち

赤川 学（あかがわ まなぶ）（東京大学教授）

1967年生まれ。東京大学大学院人文社会系研究科社会学専攻博士課程修了。博士（社会学）。現在、東京大学大学院人文社会系研究科教授。専門は社会問題の社会学、歴史社会学、セクシュアリティ研究、人口減少社会論、猫社会学。著書に『子どもが減って何が悪いか！』『これが答えだ！　少子化問題』（以上、ちくま新書）、『明治の「性典」を作った男――謎の医学者・千葉繁を追う』（筑摩選書）、『セクシュアリティの歴史社会学』（勁草書房）、『社会問題の社会学』『少子化問題の社会学』（以上、弘文堂）、など多数。

初出：「現代ビジネス」2017年11月23日掲載

「結婚支援」という少子化対策

日本の少子化に関する基本的な事実として、「日本の少子化の要因は、結婚した夫婦が子どもを多く産まなくなっていることにあるのではなく、結婚しない人の割合が増加したことにある」ことを、かねてより筆者は指摘してきた。

ここ15年ほど、政府や自治体がお見合いパーティや「婚活」に躍起となり、大騒ぎしてきたことは記憶に新しい。これら結婚支援が少子化対策の名の下に行われてきたのは、上記のような認識が存在するからでもあった。

思えばここ数十年、独身貴族、パラサイト・シングル、負け犬（の遠吠え）、おひとりさまといった形で、なかなか結婚に踏み切らない独身者という「問題」が論じられ続けてきた。

アメリカでも数年前、社会学者が結婚しない男女の生態を活写した『シングルトン』という著作が大ヒットし、邦訳も存在している。

これらの著作に登場する独身者は、自らが結婚しないこと、子どもを持たないことについて、必ずしも否定的に捉えてはいない。

ところが日本の少子化対策の文脈で独身者が取り上げられるときには、彼ら／彼女らは自らの意志で「結婚しない」のではなく、仕事と子育ての両立困難や経済的困窮などの理由で「結婚したくても、できない」（＝かわいそうな）人たちと描かれることが多い。それゆえ、「結婚支援」が少子化対策として大真面目に取り沙汰されることになる。

ソロ社会は孤立社会ではない

ところが2人の社会学者が著した新書が、こうした言説状況に風穴を開けた。最初の一冊は、荒川和久氏が著した『超ソロ社会――「独身大国・日本」の衝撃』（PHP新書）である。

博報堂のマーケッターでもある荒川氏は、「日本の20年後とは、独身者が人口の50％を占め、一人暮らしが4割となる社会」であることを正確に見抜きつつ、官製社会調査のトリックに対して批判する。

たとえば「日本人は9割が結婚したいと思っている」というタイプの主張を裏付ける官製統計に対して、「まだ結婚するつもりはない」（男性の47・7％、女性の40・6％）が、「いずれ結婚するつもり」として、「結婚したい」側に組み入れられていることを鋭く暴き出している。

ここでは、「結婚しない」という意志表示であったかもしれない回答が、「結婚したくてもできない」ことを意味する数字として一方的に解釈されているのである。

荒川氏によれば、自らの意思で結婚しない男女、すなわち「ソロ男・ソロ女」は約半数存在する。彼ら／彼女らは、「結婚に関して、女性は相手の年収や経済的安定は絶対に譲れないし、男もまた結婚による自分への経済的圧迫を極度に嫌う」という実利主義者ではある。

それゆえに「女性が輝く社会」では、（バリバリ働く）女性は結婚する必要を感じなくなり、女性の未婚率が加速するとまで述べて、既存の少子化対策の無効を宣言する。

また「結婚を勧めてくる既婚者たちは、結婚教の宣教師であり、勧誘者」と述べて、その善意の結婚強要を「ソロハラ」と名付けている。きわめて重要な問題提起といえるだろう。

さらに本書の白眉は、ソロ男やソロ女が作り出すソロ社会が孤立社会ではないという、力強いメッセージを打ち出していることである。

ソロで生きる力、すなわち、ひとりでいられる能力は、誰かとのつながりがあるから可能になる。ソロで生きる力は自分を愛し、自分の中の多様性を育む力でもあるからこそ、他者とのつながりも可能になる。

そのような「超ソロ社会」はありうべき、一つの社会構想といえる。単にソロ男、ソロ女だけの問題でなく、離婚や死別の経験者、子どもが自立した以降の夫婦（カップル）など、誰にでもあてはまる、重要な問題を提起している。

家族はコスパが悪い

もう一冊は、家族社会学を専攻する永田夏来氏が、20年に及ぶ研究成果を世に問うた『生涯未婚時代』（イースト新書）である。

彼女の問題意識は、「画一的な家族のあり方を批判し、家族の多様性をかつては主張していた家族社会学が、『結婚して家族を作るべきだ』『家族とは本来良いものだ』といった」話に引きずられて、学問ならではのニュートラルな視点を失っている」という、学界に対する現状告発をも含んでいる。同業に属する筆者も、共感するところ大である。

荒川氏同様、永田氏も「結婚を人生設計に組み込まない若者の登場」を射程に収めているが、結婚を目標やゴールと考える「ドラクエ人生」、結婚するかどうかは場合によると考える「ポケモン人生」を分けているのが特徴的だ。

ドラクエ人生とは、人生にはしかるべきタイミングとステップで進行する標準的なルートとゴールがあり、一度つまずいたらそこで停止してしまう、「昭和の人生すごろく」的一本道の人生観である。

これに対しポケモン人生は、一通りのストーリーを終えた後がむしろ本番で、対戦しながらレベルを上げたり、コンプリートを目指したりすることになるという。

ゲームに詳しくない筆者がいうのも何だが、これは標準的ルートも終局もない、ゲームの過程そのものが快楽となるゲームなのであろう。

永田氏は、地方暮らしの若者にみられる「ほどほどパラダイス」がポケモン人生に該当するというが、ひと頃流行った「マイルド・ヤンキー」もこれに通じるものがあるはずだ。

同書の後半で永田氏は、家族は本質的にコストパフォーマンスが悪いため、コスパや合理的計算で考えると結婚はかえって遠のいてしまうと指摘する。

コスパで考えるとはつまり、結婚や子育てを「人生すごろく」の一コマとして捉えていることの証左なのであろう。

結婚や子育てという純粋な歓びを、「機会費用」という名で利得を計算し（専業主婦になるとX億円の損、とか）、結婚や出産を「リスク」とみなすような結婚支援や少子化対策が大手を振ってきたのである。

今日の少子化は、その必然的な帰結と考えるべきだろう。

また「結婚すればなんとかなる」という考え方は問題の先送りであり、パーソナリティを安定化させ、生活を支えるという機能を有していた家族を失った場合、途端に行き場がなくなってしまう。これも、現代家族が抱える本質的困難の一つである。

それらの難点を承知した上で永田氏は、「結婚をする人生もしない人生も同じぐらい尊い」と述べ、「自分と違う選択をした人々に寄り添いながら、それぞれの人生を尊重する」という思考力を持つことを1人ずつでも増やしていくことが、生涯未婚時代を明るく照らすと結んでいる。

選択肢が増えると王道が再評価される？

書き手の性別や立場こそ異なるが、荒川氏が描く、超ソロ社会における他者とのつながりと、永田氏が描く、多様な生き方の尊重と包摂という社会構想は、似通った面がある。

それは、若者が「結婚できない」という点だけをやたら強調し、悲惨な未来年表を描きがちな少子化言説の風景からは忘却されてきた視点である。

他方、人々の考え方や生き方が多様化し、「選択肢が増えると王道が再評価される」という永田氏の分析も重要である。

性解放のあとの家族回帰、不倫ブームのあとの純愛ブーム、はたまた「みんなが格闘技に走るので、私、プロレスを独占させてもらいます」と述べたジャイアント馬場の「王道」（古いか……）。

人々を拘束してきた規範や秩序がゆらぎ、新しい選択肢が目の前に提示されるとき、人は却って、過去からの伝統を呼び戻し、それに縋（すが）ってしまう。生と性の多様性を提示する言説もまた、この心理的・社会的障壁と戦い続けざるをえない。

新しい社会構想を打ち出した若き選ばれし社会学者の「恍惚（こうこつ）と不安」もまた、ここに存するのではなかろうか。

若者が結婚しにくい理由

厚生労働省が公表した２０２２年の人口動態統計の速報値によれば、外国人と海外で生まれた日本人の子どもを含む出生数は79万９７２８人だった。国内生まれの日本人の出生数はさらに少なく、統計のある１８９９年以降、初めて80万人を割り込むことが確実になったという（朝日新聞２０２３年２月28日付など）。

筆者はこれまで、「日本の少子化の要因は、結婚した夫婦が子どもを多く産まなくなっていることにあるのではなく、結婚しない人の割合が増加したことにある」と強調してきた。

なぜ若い男女が、結婚という選択をしなくなっているのか。

少子化対策を熱心に言挙げする人々は、しばしば仕事と子育ての両立難や、若年男性の経済的困窮をとりあげて、「若者は結婚したくても、できない」というリアリティを強調してきた。

しかし、それは事態の半面でしかない。

今回は別の角度から、若者が結婚しにくくなっている理由を考えたい。

それは格差婚、すなわち女性が自分よりも学歴や収入など社会的地位の低い男性と結婚する傾向が少ないままだから、ではなかろうか。

家族社会学では、上で見たような「格差婚」のことを女性下降婚（ハイポガミー、以降、下降婚）と呼ぶ。逆に、女性が自分より社会的地位の高い男性と結婚することを女性上昇

図1 上昇婚と男女平等

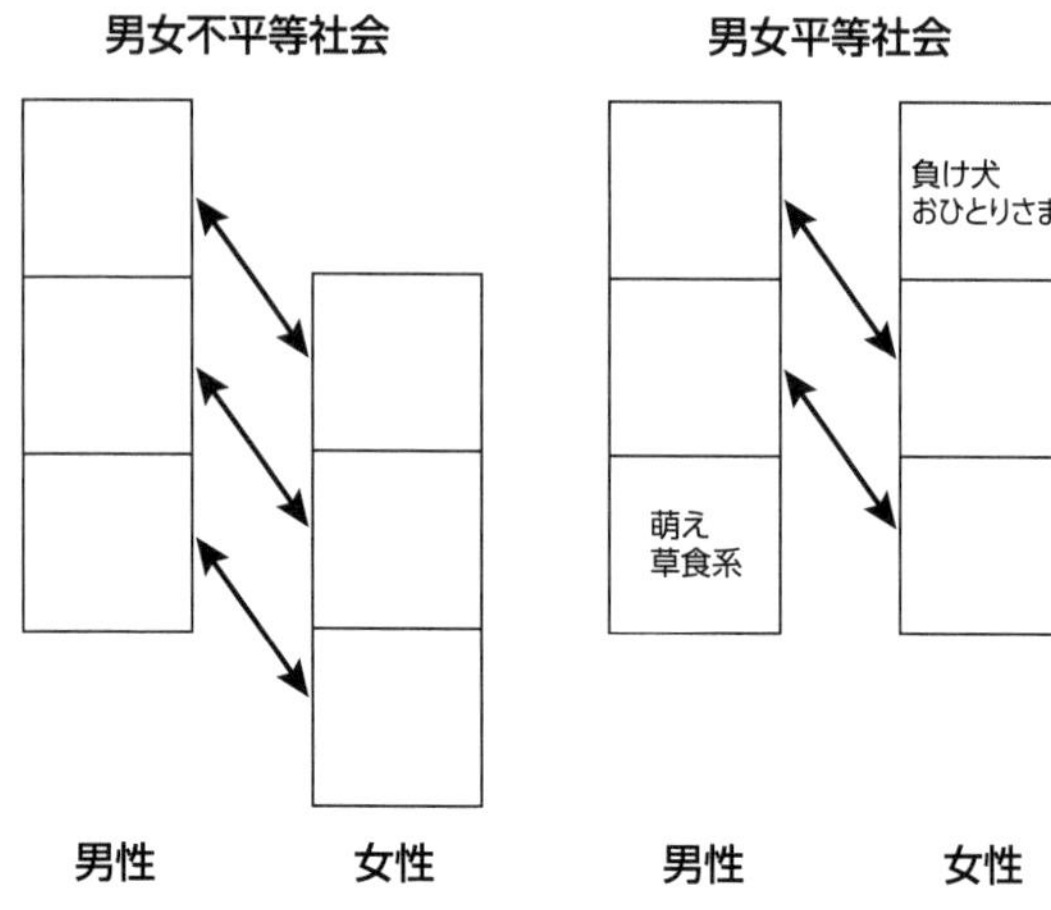

婚（ハイパガミー、以降、上昇婚）、同等の男性と結婚することを同類婚（ホモガミー）という。

かつての日本社会では、上昇婚が一般的であった。農家出身や、女中として働いていた未婚女性が、やや格上の男性と結婚して一家の主婦となる、という姿を思い起こすとわかりやすいだろう。

実は、学歴や収入などの社会的地位に男女の不平等が存在する社会では、上昇婚の規範や風習が存在すると、多くの人が結婚できる確率が高くなる（図1左側）。

しかし男女の不平等が徐々に解消されていったとき、なおも上昇婚が存在し続けると、上層の女性、すなわち高学歴でバリバリ働く女性（ひところ流行った「負け犬」や「おひとりさま」）と、下層の男性（ひところ流行った「萌える男」や「草食系男子」）が相対的に結婚しづらくなる（図1右側）。

ここで一部の人々、たとえば男女共同参画に好意的な人々は、「男女平等な社会が実現すれば、同類婚や下降婚も増えて、結婚のあり方も多様化する。その結果、結婚も増えて、出生率が高くなるはずだ」と言いたくなるかもしれない。

だが、日本の現実は、そうはなっていない。

下降婚率が増えると、出生率が高まる

上昇婚／同類婚／下降婚を測定する際には、学歴（大卒／高卒／中卒、あるいは教育年数）を指標として使うことが多い。

そこで、社会科学の世界では有名な国際社会調査プログラム（The International Social Survey Programme：ＩＳＳＰ）の２０１２年版のデータを用いて、学歴上昇婚／同類婚／下降婚の国際的な趨勢を確認してみた。

この調査は、欧米を中心に48ヵ国の専門機関が共同実施しており、２０１２年版では「家族とジェンダー役割の変化」をテーマとしている。下降婚の比率を計算できたのは、

図2 主要国の下降婚率と出生率

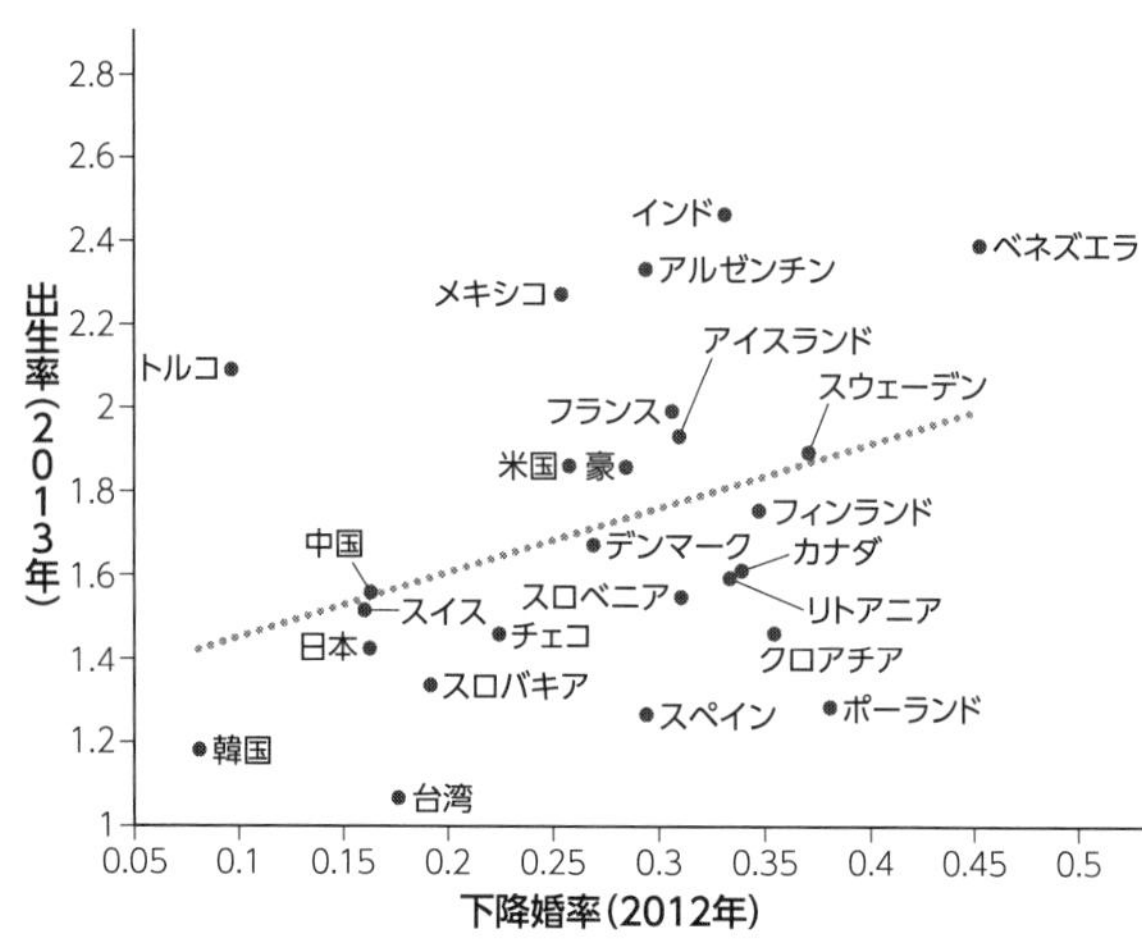

このうち25ヵ国であった。

もし本人学歴と配偶者の学歴に何の関連性もないならば、上昇婚率／同類婚率／下降婚率は3分の1、すなわち約33％になる。

ここで日本の下降婚率は、約16・3％である（図2）。下降婚率が20％を下回るような社会は、やはり格差婚が少ない社会というべきだろう。

日本以外では韓国（8・1％）、トルコ（9・7％）、スイス（16・0％）、中国（16・3％）、台湾（17・6％）などが該当する。

逆に下降婚が3分の1を大きく上回る社会も存在する。

ベネズエラ（45・2％）、ポーランド

（38・0％）、スウェーデン（37・0％）、クロアチア（35・4％）、フィンランド（34・8％）、リトアニア（33・3％）、インド（33・1％）などである。ちなみにフランスも30・6％でかなり高い。

ちなみに下降婚率と出生率の関連を、相関係数という統計学の指標でみると、0・370となり、中くらいの相関がある。つまり下降婚の多い国では出生率が高いという傾向が、統計上も確認できるわけである。

なぜ下降婚率が増えると、出生率が高まるのか。

格差婚のススメ？

次のように考えることができる。

男女が比較的平等な社会で上昇婚の規範が保たれていると、上層の女性が結婚できない確率が高まることはすでにみた。ここで女性が取りうる選択肢は、

（1）より社会的地位の高い男性を国外に求める（アラブの富豪？）

（2）未婚にとどまる

（3）（未婚にとどまるより）**自分より社会的地位の低い男性と結婚する**

の三つのパターンであろう。

実は同類婚という選択についても、男女が比較的平等な社会で、女性が自分より社会的地位の高い男性と結婚することをあきらめて、自分と同等の男性を選ぶように変化したからだ、と説明する学者もいる（Bereczkei & Csanaky 1996）。

これと同じように、下降婚を選択する女性が増えれば、結婚が全体の出生率を高める効果はそもそも大きいので、出生率が高まっていくことになる。

つまり男女が比較的平等な社会では、未婚女性が増えるか、下降婚が増えるか、という分岐点が、出生率回復の鍵を握っている可能性がある。

筆者が２０１７年に刊行した『これが答えだ！　少子化問題』（ちくま新書）では、学歴下降婚の少なさには、女性自身の遺伝子を残す成功度合（包括適応度）を高める進化上の理由があるという可能性を示唆した。

進化上の理由があるのなら、その性向は容易には代えがたい。下降婚を選ばなかったからといって、現代の女性が責を負ういわれはないと、そのときは考えていた。

しかし世界を広く眺めてみると、下降婚が多い国は、先進国／発展途上国を問わず、多く存在する。少なくとも下降婚の少なさが、人間にとって普遍的な性向でも慣行でもないことは明らかになった。

というわけで、前著での記述は訂正しなければならない。学歴下降婚の少なさには、進化上の理由はない、と。

とはいえ、今回調べたような「下降婚が少ない社会では出生率が低い」という知見は、これまでの少子化対策の文脈ではみかけることがなかった。

単に気づかれていないのか、意図的に隠されているのかは定かでないが、興味深いことではある。

しかし、もしあなたが、フランスやスウェーデンを見習って、少子化を食い止めたいと本気で考えているならば、未婚の女性に対して格差婚を勧めてみてはどうだろうか。

少子化対策としては、待機児童の解消やワークライフバランスの推進などより、はるかに効果があるはずだ。

もっとも日本の未婚女性からどういう反応が返ってくるか、当方は保証しかねる。くれぐれも自己責任でお願いしたい。

ご飯はこうして「悪魔」になった～大ブーム「糖質制限」を考える

磯野真穂（いそのまほ）（医療人類学者）

人類学者・博士（文学）／修士（応用人類学）。1999年、早稲田大学人間科学部スポーツ科学科卒業。オレゴン州立大学応用人類学研究科修士課程修了後、2010年、早稲田大学文学研究科博士後期課程修了。早稲田大学文化構想学部助教。国際医療福祉大学大学院准教授を経て2020年より在野の研究者となる。著書に『なぜふつうに食べられないのか――拒食と過食の文化人類学』（春秋社）、『医療者が語る答えなき世界――「いのちの守り人」の人類学』（ちくま新書）、『ダイエット幻想――やせること、愛されること』（ちくまプリマー新書）、『他者と生きる――リスク・病い・死をめぐる人類学』（集英社新書）、共著に『急に具合が悪くなる』（宮野真生子との共著、晶文社）がある。
オフィシャルサイト：https://www.mahoisono.com/
Blog：http://blog.mahoisono.com/

初出：「現代ビジネス」2016年10月25日掲載

先日ツイッターを見ていたら、ラーメンの写真とともに「こんなの食べるなんて狂気の沙汰！」という投稿が流れてきた。糖質制限を推奨するジムに通い肉体改造に努めていることが投稿者のフィードからわかる。

1ヵ月前には、「白米は太る！」と断言するバリバリの糖質制限キャリアウーマンに出会った。彼女はどうやら「やせること＝健康になること」と考えているらしい（ちなみに彼女はどこからどうみても肥満体型ではない）。

２００５〜２０１０年、過食嘔吐を繰り返す24歳の女性にインタビューをした。彼女には、「油ものはＯＫだがご飯ものは絶対ダメ」という時期があり、その理由は「糖質は血糖値をすぐ上げ身体に悪く、そして太りやすいから」であった。

その時の私は気づかなかったが、彼女はいまや大ブームとなった糖質制限の先駆けだったのである。

「ご飯」とは何か――命の糖質

私の専門である文化人類学は、人間の多様な生き方を、長期にわたるフィールドワークの中で明らかにしていく学問である。

その視点から眺めると、糖質制限はかなり特異な現象であるといえる。食は人間の多様性が如実にあらわれる場所であるが、一方で主食にあたる食べ物にとりわけ大きな価値が置かれることはほぼ共通しているからだ。

たとえば文化人類学者のオードリー・リチャーズは、ローデシア北東[1]に居住するベンバの下記のようなやりとりを、驚きを持って記録している[1]。

私の目の前で焼いたトウモロコシを4〜5本食べたあと、かれらはこういった。「おお、腹が減って死にそうだ。俺たちは今日一日何も食べていない。」(47)

ベンバが空腹なのは、かれらが大食だからではない。かれらが空腹なのは、かれらにとっての腹を満たせる食べ物がトウモロコシではなく、「ウブワリ (*ubwali*)」だからである。ウブワリとは熱い湯と雑穀を3対2の割合で溶いたペースト状の食べ物であり、これがかれらの生活を支えている。

かれらはウブワリと共に、日本語でいうおかずに当たる「ウムナニ (*umunani*)」も口に

1　ザンビアとジンバブエを合わせた地域の名称。

するが、ウブワリが食事の中心にあることには変わらない。ウブワリだけでは物足りないが、ウムナニだけでは食べた気がしないのだ。

またウブワリは、ウブワリそのものだけでなく、食事全体のことも指す。このことからもかれらにとってウブワリの重要性がわかるだろう。

ベンバにとってのウブワリは私たち日本人にとってのご飯である。「ご飯」「飯（めし）」は字句通りにとれば、炊いた米のことであるが、それは同時に食事そのものを指すし、飲みの席での役割は食事を〆ること、すなわち終わらせることだ。昭和生まれの人であれば「米を食べないと食った気がしない」というフレーズを一度は聞いたことがあるだろう。

ウブワリやご飯のように食事の核を担う糖質と、それに味と彩りを与える少量のさまざまな料理という組み合わせは世界に広くみられる人々の食事のあり方である[2]。

もちろん気候が寒冷といった理由により、穀物をほとんどとらない民族も存在するが、相当数の人々が糖質によって命をつながれ、そしていまもつながれていることは間違いがない。

糖質は「悪魔」だったのか？

しかし糖質制限の流行により、糖質の地位はかつてないほど地に落ちた。

糖質制限派のメッセージは過激なほどに明快である。『炭水化物が人類を滅ぼす』『日本人だからこそ「ご飯」を食べるな』といった本のタイトルに始まり、糖質制限の第一人者である江部康二氏の著書『主食をやめると健康になる』の帯のメッセージは「ご飯・パンの糖質が現代病の元凶だった！」である。

これら書籍に目を通すと、糖質を中心とした食事の怖さがこれでもかというほど並び、しかもその多くが医師という権威ある人々によるものであるため、ふつうにご飯を食べていたら病気だらけの悲しい未来しか待っていないように思えてくる。

たとえばこんな具合だ。

穀物という神は、確かに1万年前の人類を飢えから救い、腹を満たしてくれた。その意味ではまさに神そのものだった。

しかしそれは現代社会に、肥満と糖尿病、睡眠障害と抑うつ、アルツハイマー病、歯周病、アトピー性皮膚炎を含むさまざまな皮膚疾患などをもたらした。

2 厳密には、炭水化物は糖質のみでできているわけではない。たとえばご飯には糖質のほかに、食物繊維、ビタミン、たんぱく質、脂質なども含まれている。ここでは話をわかりやすくするため、糖質で統一している。

現代人が悩む多くのものは、大量の穀物と砂糖の摂取が原因だったのだ。人類が神だと思って招き入れたのは、じつは悪魔だったのである。

（『炭水化物が人類を滅ぼす』〈夏井睦著〉）

当時の厚生省が１９４７年（昭和22年）に出した『国民栄養の現状』によると、日本人の１日の栄養摂取量は、全体の72％が穀類から、11％が芋類からであり、１日のカロリー摂取のかなりの部分を糖質制限ダイエットで積極的に制限される炭水化物に依存していることがわかる。

また、それより11年前の１９３６年（昭和11年）に発刊された『栄養読本』には、日本人の栄養摂取量の85％は炭水化物であり、さらにそのほとんどが米であることが、日本人は１日３回白米を食べるという記載、労働者に至っては１日５合の米を食べるという記載からうかがえる。

もっと時代をさかのぼり江戸時代にいたっても、80％の人々がその量の差はあれ１日３回白米を食べており[3]、それほど裕福ではなかっただろう農村地帯でも、１食当たり２〜３合の米とキビの混ぜご飯を食べていたという記録が残っているという[4]。

ここから明らかなように、白米に代表される糖質は、日本人が追い求め、そして実際に日本人を生かしてきた食べ物である。しかし21世紀に入り、その糖質を悪魔と呼ぶ人が現れた。当時の人がこれを聞いたら目をぱちくりさせるに違いない。

原始時代と糖質制限

糖質はなぜここまで悪者になってしまったのか？

糖質制限派の主張できわめて興味深いのが、その絶対的な根拠を原始時代に求めていくところである。

著者により多少のずれはあるものの、大枠で共通する糖質制限派の主張は次のようなものだ。

人類は700万年近くを狩猟・採集で過ごしており、その間、人類は高タンパク・高脂質の食事をとっていた。糖質が食事の中心になったのはわずか1万年前のことであり、人間の身体は糖質を大量に摂取するようにはデザインされていない。

3 飛驒高山の農村地帯の例。

2型糖尿病、肥満、心疾患といった生活習慣病の大元は糖質過多の食事にある。

私は、糖質制限により体重が減ったとか、2型糖尿病が改善されたという人々の体験やデータ自体に疑問を持っているわけではない。糖質制限は実際にそのような効果を多くの人にもたらしてきたのだろう。

しかし注意したいのは、その事実が、原始時代の人々が糖質をほとんど食べていなかったとか、原始時代の食生活が人間にとってもっとも理想的であるといったことの証明にはならないということである。

実際、進化生物学が専門のマーリーン・ズック（Marlene Zuk）は、原始時代に正当性の根拠を求める糖質制限派の主張を、「パレオファンタジー」（Paleo Fantasy：原始へのあこがれ）と名付け批判的に論じている[5]。

まずズックは、初期人類であるネアンデルタールやアウストラロピテクス・セディバの歯に穀物を採集・調理していた痕跡があることを挙げ、私たちの祖先が肉食中心だったというパレオ派の主張に疑義を唱える。

加えて、人類は時代や場所に応じてさまざまな食べ方をしているため、ある時代の人類が同じ食べ方をしていたという見方にはそもそも無理があるし、仮に一部の狩猟採集民が肉ばかりを食べて生きていたとしても、そのことと、かれらにとって肉食が最適かどうかは別の話であると述べる。

さらに、「農耕が始まってから1万年余しか経過していないため、人間の身体は糖質過多の食事に適応できていない」というパレオ派がよくなす主張に対しては、「1万年は十分な時間である」と喝破する。

チベット人が標高数千メートルの高地で生活できるようになったり、乳製品を効率よく消化することのできる、進化したラクターゼ活性持続遺伝子を持つ人々が現れたりしたのはこの数千年であることからわかるように、人間の身体はもっと短いタイムスパンでも変化しうるからだ。

人類はある時期環境に完璧に適応した健康な生活を送っていたが、時代が下るほどにそこから離れていったというパレオ派の考えは、進化についての誤解であるというのがズックの主張である。

また進化生物学者の言葉を待たずとも、原始時代に回帰する糖質制限派の主張に無理があることは、素人の私たちにも予想がつきそうだ。

もし糖質を中心に食べることが、人類という種にまったくそぐわないものであれば、栄養摂取の8割強が炭水化物からであった昭和初期の人々は次々と生活習慣病を発症していただろう。

しかし生活習慣病にかかるのはかれらではなく、糖質からの栄養摂取がそこから2割近く落ち込んだわれわれなのである[4]（『国民健康・栄養調査』）。この矛盾を私たちはどう説明したらいいのだろう。

これについては第一人者の江部氏が奇しくも著書『主食をやめると健康になる』の中で明快に説明している。

> 明治や戦前の日本人は、総摂取カロリーの7～8割が米飯（主に白米）だったにもかかわらず、2型糖尿病がほとんどありませんでした。当時の日本人の日常生活における運動量は、現代人の10倍近かったと思います。
>
> 結論としては、運動量が現代人くらいだと、白米を一定量以上食べると、とくに女性の場合は2型糖尿病のリスクになるということです。

つまりここから言えることは次のことではないだろうか。

現代人、特に運動量のあまりない女性が白米をたくさん食べると2型糖尿病のリスクがあがる。白米を減らす、あるいは運動量を増やすとこのリスクを下げることができそうだ。

運動量が多ければよいのであれば、糖質がすべての元凶であるという糖質制限派の主張には齟齬（そご）が生じてくるといえよう。

なぜ糖質制限はブームになりえたのか？

糖質制限の根拠に原始人を持ち出すことは、2型糖尿病の人々に効果を示した食事法[5]を一般に広げる上でかなり有効であったといえる。

4 平成26年国民健康・栄養調査によると同年の炭水化物エネルギー比率は59・0％である。

5 糖質制限食は2型糖尿病患者に一般的に適用される食事療法ではない。一部の施設において実施され、効果を示した食事法である。

私たちの中に眠っている７００万年前の原始の能力が、糖質をカットすることにより目覚め、体重は落ち、健康になり、集中力も上がるという糖質制限派の主張は魅力的だし、ロマンがある。

しかし私はこの食事法が「人間本来の食事」「人類の健康食」[6]といった言葉と共に、万人にとって素晴らしい食であるかのように広がってゆくことに危惧を覚えている。

日本社会は、肥満が問題になる一方で、やせすぎの若年女性の多さとそれゆえの健康被害が懸念される国でもある。

もともとそれほどご飯を食べていなかった標準体型の女性が、もっとやせたいと願って「人間本来の食事」である糖質制限を実行することは、そもそも人間本来のあり方なのだろうか？　成長期の子どもがネットで糖質制限のことを知り、それを実行することはよりよい成長を導くのだろうか？

糖質制限が2型糖尿病の人々を超えて多くの人に受け入れられたのは、「食べたいけどやせたい」という現代人特有の欲望をなんといっても満たしてくれたことにある。

そして、「食べたいけどやせたい」という欲望は、やせていることが評価される社会でなければ生まれえない。食料不足の危機がある社会では、身体に脂肪を蓄えられることがステータスになるため、食べてもやせるという、現代人をひきつける糖質制限の特徴は魅力にはならないし、そのような社会では栄養不足によるやせの方がよっぽど深刻であるからだ[6]。

たくさんの食べ物があふれ、貧しい人でも簡単に太ることができ、やせることが無条件に美しさ、カッコよさ、聡明さ、自己管理能力の高さと結びつく、人類史稀に見る社会状況にフィットすることにより糖質制限はブームになった。

しかしその事実は、生理学的な説明と、原始への憧れにより巧みに覆い隠されている。糖質制限はほんとうに「人類の健康食」なのだろうか？　それは限られた時代の、限られた地域の、限られた人々にとっての健康食ということはないだろうか？

普遍化の裏側にあるものは、現代社会のきわめて特殊な価値観と構造であることに目を向けて、いまいちど糖質制限の功罪を考えてみたい。

6　いずれも江部氏の『主食をやめると健康になる』からの抜粋である。

参考文献

［1］Richards, A., Land, Labour and Diet in Northern Rhodesia, Oxford University Press, 1939

［2］シドニー・W・ミンツ『甘さと権力——砂糖が語る近代史』平凡社、1988年

［3］Ohnuki-Tierney, E., Rice As Self: Japanese Identities through Time, Princeton Univ Press, 1993

［4］原田信男『江戸の食生活』岩波書店、2003年

［5］マーリーン・ズック『私たちは今でも進化しているのか』文藝春秋、2015年

［6］Brown, P.J. and M. Konner, An Anthropological Perspective on Obesity, in Understanding and Applying Medical Anthropology, J.B. Peter, Ed. p. 401-413. Mayfield Publishing Company, 1998

なぜ「ていねいな暮らし」はブーム化した一方、批判も噴出するのか

阿古真理（あこまり）（作家・生活史研究家）

1968年兵庫県生まれ。神戸女学院大学卒業。作家・生活史研究家。食や暮らし、女性の生き方などをテーマに執筆。主な著書に『小林カツ代と栗原はるみ――料理研究家とその時代』『料理は女の義務ですか』（以上、新潮新書）、『「和食」って何？』（ちくまプリマー新書）、『なぜ日本のフランスパンは世界一になったのか　パンと日本人の150年』（NHK出版新書）、『母と娘はなぜ対立するのか』（筑摩書房）、『平成・令和　食ブーム総ざらい』（集英社インターナショナル）、『日本外食全史』『家事は大変って気づきましたか？』『大胆推理！ケンミン食のなぜ』（以上、亜紀書房）、『ラクしておいしい令和のごはん革命』（主婦の友社）など。

初出：「現代ビジネス」2019年10月2日掲載

「ていねいな暮らし」、好きですか？

２０１０年代後半、「ていねいな暮らし」という言葉が流行っていた。保存食を作りお菓子を焼く。縫物をする。ナチュラル素材のワンピースを着てのんびり過ごす。趣味の要素も交えた家事をていねいに行い、暮らしを整える。

そんな生活が憧れの対象になったきっかけは、『暮しの手帖』や当時その編集長だった松浦弥太郎のエッセイ集『今日もていねいに。』などだ。妊活中だった森三中の大島美幸も、「ていねいな暮らしを心がけています」と発言して注目されている。

しかし同時に、インターネット上でバッシングも起こった。それは、ＳＮＳでも「ていねいな暮らし」ぶりを投稿する人たちがいたからでもある。

なぜ、「ていねいな暮らし」は憧れの対象となり、同時に批判されたのだろうか？　その原因を探ってみたい。

批判の原因は、本来は暮らしに目を向け家事を楽しみとして捉え直す提案に過ぎなかったにもかかわらず、「あるべき姿」というプレッシャーに感じた人が多かったことである。

強制のように感じる人がいるのは、生き方に正しさを求める社会風潮と無関係ではないだろう。しかし本稿の主題は、女性と家事の関係を掘り下げることなので、それは置いておく。

ねじれの発端は高度経済成長期

家事は、人によって得意なこと、不得意なことが異なる。料理が好きな人もいれば、掃除が得意な人もいる。全部が好きな人も、家事全般に苦手意識を持つ人もいる。厄介なのは、家事は、お金と引き換えに依頼される仕事とは異なり、どこまでやれば正解なのか基準がないことだ。

日々の食事を、どこまで手作りし手間をかけるのか。料理は何種類作るのか。献立にどのぐらいバリエーションを持たせるべきなのか。掃除や洗濯は毎日するべきなのか。日々拭き掃除をする必要があるのか。洗濯は、洗濯機を回す前に下洗いをするべきなのか、手洗いするべきモノはあるのか。

多くの家事の担い手は、自分なりの基準を持っている。そのベースにあるのは、自分が育った家庭で、母親が行っていた家事のイメージであることが多い。今も昔も、家事の責任を担ってきたのは、主に女性たちだからだ。

日本では、女性が家庭と仕事を両立しづらい時代が続いてきたため、家庭を持ち子育てしてきた女性の多数派は、専業主婦だった。しかし今、仕事を持ちながら家事の責任を担う女性が増えてきた。

このライフスタイルの変化が、実は「ていねいな暮らし」が流行ると同時に、その理想に複雑な気持ちを抱く女性の増加とつながっている。今のねじれの発端は、高度経済成長期である。

日本ではこの頃に専業主婦が既婚女性の多数派となり、「ていねいな暮らし」が理想化される時代が始まった。

時間に余裕ができた結果……

この時期、家庭環境は大きく変わった。電気はもちろん、水道、ガスが完備され、台所の土間が板の間となり、家電が導入され、集合住宅に住む人も多くなった。食材の選択肢も豊富になる。農家出身で都会に住むようになった人が大量に生まれたが、彼女たちは、初めて食材を買う生活になった。

育った環境とは異なる新婚生活を始めた、都会の主婦たちは、自身の母親の家事のやり方を手本にすることが難しかった。彼女たちが学んだ教科書は、『主婦の友』などの主婦雑誌や『きょうの料理』などの料理メディアである。その際メディアは、例えば料理なら日替わり献立をていねいに愛情をこめて作るべき、といった心構えまで伝えている。

当時の主婦にとって、主婦業は本業の「仕事」だった。戦中戦後生まれの彼女たちは、男女平等を謳う日本国憲法下で育った第一世代である。両性の合意で結婚し、新しい戸籍を作った彼らは、家父長制のもとで家長が絶対権力者だった戦前世代とは違う。見合いにせよ恋愛にせよ、親の言いなりではなく自分の意志で相手を決めた自負を持つ人も多かっただろう。

自ら選んだ結婚で、夫はお金を稼いで家族を養い、妻は家事と育児を受け持って家庭を支える「対等」な取り決めをした。だから、主婦業は分担した家庭責任であり、彼女たちの本職となったのである。家事に力が入るゆえんである。

一方で、新しい家庭環境は、便利で快適になっていた。水くみや火おこしが必要なくなり、重労働だった洗濯が機械任せとなり、食材を買って冷蔵庫で保存できる生活になる。

家事が格段にラクになり、時間に余裕ができたからこそ、「ていねいな家事」はできるようになった。

家事の趣味化

もちろん、それまでの時代にも女性たちは、ていねいに家事をしていた。魚の煮つけは常温で長く保存できるよう何時間も火にかけた。衣類や寝具にもお金を掛けられないので、端切れで継ぎを当てるなどのメンテナンスを行った。着物や寝具は季節ごとに綿を入れたり抜いたりする。豊かで便利な時代になり、そういう手間を掛けなくて済むようになった。

その結果、家事に手をかけることは必要なだけではなく、趣味の領域に入り始めたのである。

家事の趣味化が進んだのは１９７３年、オイルショックにより高度経済成長期が終わってから。１９７０年代後半から１９８０年代前半にかけて、最初の「ていねいな暮らし」ブームが始まったのだ。

アメリカから入ってきたパッチワークキルトや、保存食、お菓子作りがブームになる。

また、出版各社が、『赤毛のアン』や『メアリー・ポピンズ』などの物語に登場する料理やお菓子を作ろうと勧めるレシピ本のブームが起こる。

味噌や漬物を家庭で作り、繕物や繕い物をすることが当たり前だった時代が遠ざかり始めたこの頃、まるで昔の生活を取り戻すかのように、欧米スタイルの手作り生活がおしゃれなものとして流行ったのだ。

それはあたかも、仕事を持つ主婦が増え始めた時代の中で、専業主婦を続ける女性たちが、自らの存在価値を手をかける家事に求めたかのようだった。それは、公害が社会問題になり、食の安全性が問われるようになったこと、校内暴力やいじめなど荒れる子どもたちの事件が起こり、子どもが安心して育つ環境が切実に求められ始めた時代とも無関係ではないだろう。

高度経済成長期もしくはその後の低成長期に育った世代が、平成になって子育てを始める。そのとき見本にしたのが、昭和の後半に家事に手をかけていた母親たちの姿である。

平成の初め頃、家事や子育てとの両立が困難だと、退職した女性たちが大勢いた。それは、夫たちの家事参加があてにできなかっただけでなく、母親の姿から家事に手間をかけるべきだと刷り込まれていたからである。

母と娘は2世代にわたって、「ていねいな暮らし」を心掛けた。今のブームに賛否を唱えているのは、そんな主婦の姿が当たり前、と刷り込まれた孫世代が中心である。

人が心に余裕をなくす現代社会

2度目のブームの始まりは、2000年代に入って起こったスローフードブームである。不況が深刻になった1990年代の後で、「自己責任」という言葉が横行していた。インターネットと携帯電話が普及し始め、世の中はIT革命に沸いていた。

変化のスピードが加速し、ストレスが増したこの頃、反動のように、理想化された「昔ながら」のゆったりとした暮らしへの憧れが高まった。食事時間が削られていくからこそ、ゆっくり食事をしたいと望む。料理する余裕もなくなり、外食や中食への依存度が高まっていくからこそ、手作りの料理を求めたくなる。スローライフの魅力を伝える『クウネル』などの雑誌も登場した。

2011年、東日本大震災と原発事故により、暮らしの根本を揺るがされた人が大勢生まれる。

自分たちは何のために働いているのか。改めて問い直す風潮が生まれ、田舎暮らしを求めて移住する人や、都会と田舎の両方に拠点を持つデュアルライフを選択する人が増える。放射能汚染に脅かされる関東から、西へ移住した人たちもいる。

そうやって時間をかけて浸透した、暮らしの見直しと再発見が、「ていねいな暮らし」ブームへつながったのである。昭和のブームのときは、専業主婦と働く女性の暮らしには距離があり、手作りにハマる人たちが批判されることも、手作りライフが強制されているように感じている人もあまりいなかっただろう。手作り情報を遮断することもたやすかった。

しかし、今はインターネットが身近にあり、SNSを通じて楽しそうな「ていねいな暮らし」ぶりが目に入りやすくなっている。仕事を持つ女性が多数派となり、たくさんいる働く女性も多様になってきた。

中には、その情報を「あるべき理想」と受け取る人もいる。そんな風に彼女たちが思うのは、自分の母親がそうしていたからかもしれないし、多忙過ぎる日々に対し、うすうす疑問を抱いているからかもしれない。

日々の生活で、家事が行き届いていない今に不満があるからこそ、ほかの人の「ていねいな暮らし」ぶりに腹を立てるのである。それを自分にも求められていると感じて、いらだつのである。

その余裕のなさは、もしかすると、夫を家事の戦力としてあてにできないからかもしれない。一人で抱え込んでいるからかもしれない。生活を守るために忙しく働き、暮らしが荒れがちなことにいらだっているからかもしれない。

「ていねいな暮らし」批判は、人が心に余裕をなくす現代社会のありようを映し出しているのである。

「死んでまで一緒はイヤ…」日本で死後離婚と夫婦別墓が増えた理由

井上治代(いのうえはるよ)（認定NPO法人エンディングセンター理事長）

東洋大学客員研究員。社会学博士、専門は家族社会学、宗教社会学。エンディングデザイン研究所代表。認定NPO法人エンディングセンター理事長。 NPO法人エンディングセンターは、よりよい死と葬送を実現するために活動している市民団体。市民が集めた死と葬送に関する情報の提供・葬送に関するサポート業務と講座・シンポジウム、研究会などの学び合う場を提供している。
ウェブサイト：https://www.endingcenter.com/

初出：「現代ビジネス」2018年12月18日掲載

「死後離婚」という現象

私は長年、葬送分野をフィールドとしてきた。死や葬送をファインダーにして見えてくる家族の変化にはとても興味をそそられる。

その一つが「死後離婚」という現象だ。そこからは戦後社会の変化が如実に見えてきて、実に面白い。

ここ数年のマスコミ報道を見ると「死後離婚」とは、配偶者の死後に、「姻族関係終了届」を出すことと定義しているものが多い。

これは先行文献を踏まえなければならない私のような研究者から言わせてもらうと、近年顕著になってきた現象だけを捉えているに過ぎない。

そもそも「離婚」という言葉は、夫と妻の関係性を表わすものであって、「姻族関係終了届」のように、配偶者の死後に、自身と姻族（配偶者の父母兄弟姉妹）との関係を絶つことだけに「離婚」の語を使うのは適当であるとは思えない。

言葉は生きものだから社会によって変化する面もあるが、「死後離婚」の語は以前からあり、夫婦が死後に墓を別々にする現象、特に妻が夫や夫の親族と同じ墓に入ることを拒否し夫と別墓にする現象を、私が「死後離婚」と呼んだことに端を発している。

私は1989〜1990年に意識調査を実施し、「夫と別墓」を希望する妻たちが3割以上いることを確認した。これは当時『朝日ジャーナル』（1989年9月29日号91頁）で紹介され話題を呼んだ。また拙著『現代お墓事情』（1990年、創元社）でも紹介した。

その後、死後離婚をした人たちのインタビュー記事を『墓をめぐる家族論』（2000年、平凡社新書、第一章「死後離婚」）で取り上げている。

その語は、「post-mortem divorce」（死後離婚）として海外にも紹介された。たとえば「The Daily Telegraph」が2003年2月22日に、「Divorce beyond the grave for Japanese wives」というタイトルで取り上げた。また「Word Spy」というサイトに単語や意味、出典などが紹介されている。[1]

生きているうちは離婚せず、死んでから縁を切る死後離婚が、日本的な現象だとして注目された。

1 https://wordspy.com/index.php?word=post-mortem-divorce

妻による家意識からの離脱

1990年代は、妻による「家からの自由」を求めた死後離婚が多かった。

戦前の明治民法では「妻は婚姻に因りて夫の家に入る」（第788条）と定められていた。戦後、個人の尊厳と両性の本質的平等に基づいた憲法やそれに基づく民法が制定されたとはいえ、旧法時代の家意識はそうすぐになくなりはしなかった。

女性は結婚すると戦前の家制度さながら、夫側の「ウチの嫁」として扱われ、親戚が集まれば台所に立ちっぱなし、夫および舅姑・小姑に小間使いのように使われ、個として尊重されない人たちも多かった。

時代の過渡期にあって、若者世代から「友だち夫婦」のような新しい関係性が進行する中で、自我を抑えられた生活を強いられた妻たちが、それに耐えられなくなって、行動を起こした。

ある女性は我が子を背負って自殺しようとした。そのとき脳裏に浮かんだのは「いま死んだら、あの人たちと一緒のお墓に入れられてしまう」と。それが自殺を留まった理由だ。「死んでまで一緒はいや」と、夫および夫の家からの自由と、自分らしく生きるために、一人で入るお墓を買った。

おりしも「無縁墳墓の増加」がニュースになり始め、仏教寺院から継承者を必要としない「永代供養墓」が出始めた時であった。

近藤美智子さん（58歳・仮名）は、きっぱりと言った。

「これができた私って、生きられるな、と思った」

何かをふっ切ったように語る美智子さんが実行したこと、それは自分の墓を買ったこと。それも夫や子どもたちとは別に入る墓なのだ。長いこと夫側の親族に悩まされた末、自身が働きに出て得たお金を、夫に内緒で貯め、1992年に自分の墓を買った。

一人で入る墓を買ったというと悲壮感漂う話のように思われがちだが、そうではない。本人にとっては、お赤飯でも炊いて祝いたいぐらい前向きな話なのである。

つまり旧態依然とした家意識をもつ親族や、それに同調する夫と縁を切り、自我を解放する手段を自分で勝ち取ったからだ。

死後の家族を「選ぶ」時代

認定NPO法人エンディングセンター（理事長・筆者）が企画し2005年にできた「桜葬」墓地（樹木葬の一種）を申し込んだ人たちをみると、夫と別墓を選択した妻が何人もいる。そこには以前とは違う現象が起きていて、時代は動いていることを教えられる。

秋の気持ちよく晴れた日だった。未婚の姉・佐藤幸子さん（仮名・75歳）と、姉に付き添って妹の安西和子さん（仮名・71歳）が、「桜葬」墓地を見学に来た。

姉はペットと一緒に眠れる区画が気に入って、契約することになった。そうしたら「私もここにする」と、妹の和子さんも言い、夫がいるのに、ペットと一緒に眠る墓を、姉の隣に買った。

「だって、主人は、自分で何でもできるけど、この子は私がいないとダメだもの、かわいそう」

「この子」とは愛犬である。夫は実家の墓に入るだろうと考えているのだ。

その他、妻が一人で入る墓を買うときに、夫がついて来てお金を払い、「証人」の欄に名前を書くケースもある。また、妻の実家が「娘だけ」という夫婦で、妻が実の両親と一緒の墓に入ることを選択するケースも増えてきた。夫は、自身にも実家の墓があるので納得しているようだ。

このように不仲であるわけでもないのに、墓を分ける人たちがいる。少子化で長男長女同士の結婚が多い中、一組の夫婦に親が4人、その決着のつけ方の一つが、夫婦それぞれが実家の両親と同じ墓に入るケースである。

家族の個人化と死後離婚

戦後日本の家族の変化は、直系制家族であるところの「家」から夫婦を単位とした核家族へと移行することから始まった。

続いて1980年代後半になると、今度はその核家族の内部で規範解体が起こり、自我に目覚めた妻たちが、夫は外で仕事、妻は家事・育児といった性別役割分業に異議を唱え、自己実現を求めるようになった。

それがかなわなかったら、妻から夫へ離婚届が突き付けられた。しかしそれは経済的自立が可能な妻だけで、それが難しい妻は、生前に離婚できず、墓を別にすることによって死後離婚を決行したのだった。

またその頃から、家族のメンバーがそれぞれの生活領域や自己実現を求めて生きる「家族の個人化」が起こった。そして死後離婚は1990年代から顕著になる。

なぜならば継承難を背景に仏教寺院から継承者を必要としない「永代供養墓」が登場してはじめて、妻たちのこの行為は現実のものとなったからだ。そうでなければ妻一人では、墓は売ってもらえなかったのだから。

１９９０年代に入ると、「家族の個人化」はそれまでとは異なる傾向がみられるようになった。社会学者の山田昌弘氏は、この二つを分けることが重要だと言う[2]。

最初の個人化はこうである。人は、国家や家族を選んで生まれ出ることができない。つまり家族は選択不可能であり解消困難なものと認識されてきた。

そういった家族の選択不可能・解消困難性を残したまま、家族という枠内で、家族員が個々に自己実現を求めるなど、行動の選択肢の可能性を高めていった。

ところが１９９０年代以降の個人化は、家族関係自体を選択したり、解消したりする自由が拡大するプロセスで、山田氏は、これを「家族の本質的個人化」と呼ぶ。個人の側から見れば、家族の範囲を決定する自由の拡大ということになる。

この二つの異なる家族の個人化の流れは、「死後離婚」の2種類の傾向とまさしく一致する。

先に、近年、死後に誰と墓に入るか、死後の家族を選択し始めていると話した。ある人は夫ではなくペットであったり、実の両親であったりというように、選択の自由が広がっていることがわかる。

姻族関係終了届

冒頭でも触れたが、近年「死後離婚」と呼ばれるもう一つの現象が顕著になっている。それは「姻族関係終了届」の提出によって、配偶者の死後、配偶者側の親族（姻族）と縁を切ることである。親族の中でも「姻族」は、もともと何ら関係のない人たちだったのが、婚姻によって親族になった人たちである。配偶者の死後も、何もしなければ姻族関係は続くが、「姻族関係終了届」を提出することによって、姻族と縁を切ることができる。

近年まで「姻族関係終了届」の存在を知る人はごく少なかった。法務省の統計によれば、２００６年度の届出件数は１８５４件で、それが10年後の２０１６年度には４０３２件と、約２・２倍にも増えた。

実は２０１５年度までが２０００件台で、続く２０１６、２０１７、２０１８年度の３年間は、３０００件台を飛び越えて４０００件台に跳ね上がった。しかしその後２０１９、２０２０年度は３０００件台に、２０２１年度現在は２９３４件と、下がる傾向を見せている。

２　『社会学評論』54巻（２００３－２００４）４号３４１～３５４ページ。

姻族関係終了届出件数　年次比較

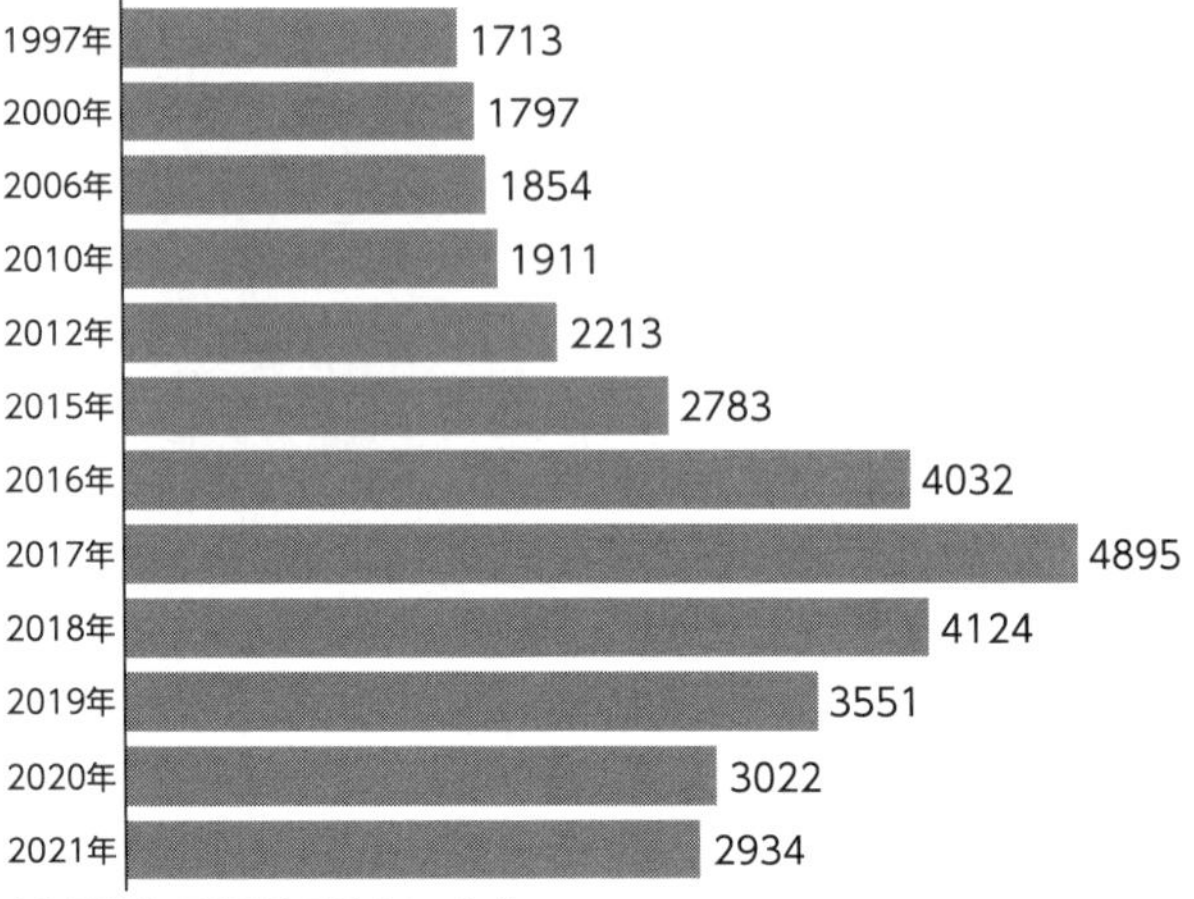

出典:法務省 戸籍統計 統計表より作成

この間に何が起こったのか。

核家族化によって、結婚した子どものほとんどが親と同居しない現代、明治民法時代と違って、法的にも結婚すれば親子は別の家族となる。したがって配偶者が亡くなってしまえば、その親との関係性は希薄である。現代社会では、このような家族関係意識が定着している。

「姻族関係終了届」の件数が微増し始めた２０１４年１月に、ＮＨＫの人気番組「あさイチ」が「死後離婚」に触れ、夫婦別墓の話を中心にしながらも「姻族関係終了届」にも触れ、２０１７年には「姻族関係終了届」をテーマに特集を組んでＷＥＢ掲載し、２０１８年に同番組で再度取り上げている。このようにマスコミによく取り上げられるようになって届出件数が急増した。2019年度以降2021年度現在が3000件台に減ったのは、マスコミを通じて広まったときに、それまで届出の存在を知らなかった人たちが、知識を得て一気に申請したためではないかと考えられる。実はこの届出は、配偶者の死亡届が提出された後であれば、提出期限はなく、何年経っていても可能なのである。つまり、配偶者がかなり前に亡くなっていたとしても、終了届はいつでも出せる。しかも配偶者側の親族の同意は必要ないので、黙って提出することもできる。また、亡くなった配偶者とは離婚したわけではないので、相続の権利、遺族年金をもらう権利もそのまま残っている。

超少子高齢社会で、一組の夫婦に4人の親の介護などが課せられる社会が到来している。そのため、夫は夫の両親、妻は妻の両親の世話をするのが精一杯で、配偶者が亡くなって、配偶者の両親の分まで介護などの責任を負うのは難しい社会になっていることも背景にある。

自然災害大国の避難が「体育館生活」であることへの大きな違和感

大前 治（弁護士）

1970年京都市生まれ。大阪大学法学部卒業。鉄道会社勤務を経て2002年に弁護士登録（大阪弁護士会）。自衛隊イラク派遣違憲訴訟、大阪市思想調査アンケート国賠訴訟、ピースおおさか情報公開裁判を手がける。大阪地検特捜部が起訴した詐欺事件など4件で無罪判決を獲得。2015年6月より日本弁護士連合会立法対策センター事務局次長、2016年6月より青年法律家協会大阪支部議長。大阪空襲訴訟では防空法制の解明を担当し、取材調査や資料収集を行う。著書に『検証　防空法』（共著、法律文化社）、『大阪空襲訴訟は何を残したのか』（共著、せせらぎ出版）、『「逃げるな、火を消せ！」戦時下 トンデモ「防空法」』（合同出版）など。

初出：「現代ビジネス」2018年7月10日掲載

２０２２年も災害が多発した。３月16日の福島県沖地震（最大震度6強）では、福島県と宮城県で２４４ヵ所の避難所に一時約３０００人が身を寄せた。８月３〜４日には台風８号に伴う豪雨被害により東日本の７県１９０ヵ所の避難所に４０８０人が避難した。

より大規模な避難がおこなわれた災害としては、２０１８年７月の西日本豪雨が記憶に新しい。このときは全国で約３６０万世帯・８６３万人に避難指示や避難勧告が発令され、３７７９ヵ所の避難所に約２万８０００人が避難をした（最大時の7月7日時点）。

救助や避難対応にあたった方々は懸命な努力を重ねた。そのことには頭が下がる。

他方で、そうした個人の努力では解決できない問題がある。避難者の多くが体育館などでの生活を余儀なくされ、劣悪な環境におかれているという点である。海外で整備されている避難所の実態とは大きなギャップがある。災害多発列島・日本でこれを放置してよいのか、再考が必要である。

イタリアでは公費でのホテル泊が多数、避難施設も充実

自然災害時の避難生活の場所としては、床に毛布を敷いて大勢がひしめきあう体育館が思い浮かぶ。エアコンや間仕切りはないことが多い。大規模災害のたびに報道される光景

であるが、これを当然視してはいけない。海外の災害避難所と比べれば、日本の避難所の問題点が浮き彫りになる。

日本と同じ地震国のイタリアでは、国の官庁である「市民保護局」が避難所の設営や生活支援を主導してきた。

２００９年４月のイタリア中部ラクイラ地震では、約６万３０００人が家を失った。この大被害に向けてイタリア政府は、初動48時間以内に６人用のテント約３０００張（１万８０００人分）を完備し、最終的には同テント約６０００張（３万６０００人分）を行きわたらせた。

ただし、実際にテントに避難したのは約２万８０００人である。それよりも多い約３万４０００人に割り当てられた避難所はホテルであった。もちろん宿泊費は公費で支払われる。仮設の避難所や体育館よりも、ホテルで避難生活をする人が多いのである。

仮設のテントも、日本の体育館のような劣悪さはない。テントといってもキャンプ用のような簡易なものではない。約10畳の広さで、電化されてエアコン付きである。各地にテント村が形成され、そこにはコンテナ型施設によるシャワー・トイレも設置された。

さらに、日ごろからの備蓄を活かして次の物品が避難者のために用意された（参照「防災体制のありかたについての一考察」中村功／松山大学論集第21巻4号）。

通常ベッド	**４万４８００台**
折りたたみベッド	**９８００台**
シーツ、枕	**５万５０００個**
毛布	**10万７２００枚**
発電設備、発電機	**１５４基**
バストイレ・コンテナ	**２１６棟**
野外キッチン	**１０７基**

実際には、テントの空調の利き方やプライバシー保護などの面に不十分さもあるという。

しかし大切なのは、自治体へ任せ切りにせず、国家が備蓄をすることにより全国各地への迅速な対応を可能としている点である。そこは大いに見習うべきである。

以上は２００９年の状況であるが、その後さらにコンテナ型住居の改良などが進んだ。

２０１６年８月のイタリア中部地震で開設された避難所の様子は、ＮＨＫニュースのサイトに掲載されて反響を呼んだ。清潔なトイレや温浴施設、温かい料理を作る調理施設が避難所に並ぶ。そこには調理担当者も派遣されたが、これはボランティアではなく公費による出動である。

日本の避難所は「災害関連死」を生み出す

イタリアの例と比較すると、日本での「体育館での避難生活」には次の問題点がある。

- そもそも災害避難用や宿泊用の施設ではない
- 1人あたりの面積が狭い
- 大人数のため常に騒音や混雑感があり落ち着かない
- 1人用のベッドや布団がない、または不足している
- エアコンや入浴施設がない
- 調理施設がなく、温かい料理が供給されない

2016年4月の熊本地震では、地震の後で体調を崩すなどして死亡に至った「災害関

連死」のうち45％にあたる95人が避難所生活や車中泊を経験していたという（ＮＨＫ調べ・２０１８年5月1日現在）。劣悪な避難所生活が、避難者の生命と健康を削っているのである。

体育館の床の上だけでなく、学校の廊下で寝起きをした例もある。１人あたりの面積が１畳ほどしかない避難所もあり、「難民キャンプより劣悪」という声も出た。

国際的な基準は、どうなっているだろうか。

災害や紛争時の避難所について国際赤十字などが策定した最低基準（スフィア基準）は、次のように定めている。

- **世帯ごとに十分に覆いのある生活空間を確保する**
- **１人あたり最低３・５平方メートル以上の広さで、覆いのある空間を確保する**
- **最適な快適温度、換気と保護を提供する**
- **トイレは20人に一つ以上。男女別で使えること**

これは貧困地域や紛争地域にも適用される最低基準である。経済力の豊かな日本で、この基準を遵守できないはずはないが、実際には程遠い現状にある。

まずは「避難所といえば体育館」という固定観念を捨てることが必要である。避難規模が大きい場合には、公費で宿泊施設（ホテル、旅館、公的研修施設など）への避難を指示できる予算措置と制度化を検討するべきである。そして、避難生活を支援する予算を拡充して、災害直後にすぐ避難者支援を開始できるよう資材の備蓄を進める必要がある。それが実現しないのは、次に述べるとおり災害援助に対する考え方に問題があるからである。

「援助を受ける権利」と「援助をする義務」を明確に

なぜ日本の避難所は劣悪な環境なのか。そこには、災害対策や復興支援についての日本と諸外国との考え方の違いが表れている。

実は、先ほど紹介した国際赤十字などによる基準（スフィア基準）は、単なる避難所施設の建築基準ではない。正式な名称は「人道憲章と人道対応に関する最低基準」であり、避難者はどう扱われるべきであるかを個人の尊厳と人権保障の観点から示したものである。

日本語版で３６０ページ超の冊子は、冒頭に「人道憲章」を掲げており、次のように宣言している。

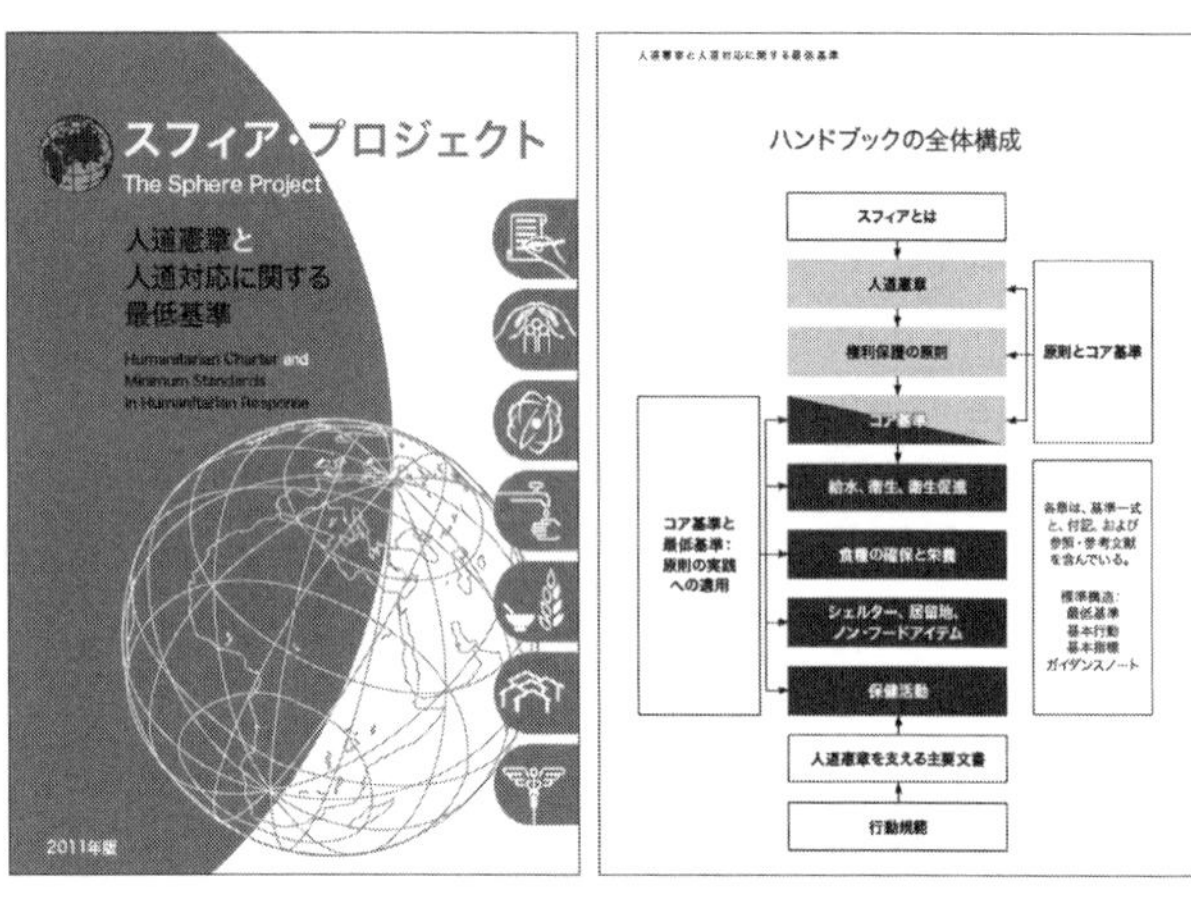

国際赤十字「人道憲章と人道対応に関する最低基準」（スフィア基準）

＊災害や紛争の被災者には尊厳ある生活を営む権利があり、**援助を受ける権利**がある。

＊被災者への支援については、第一に被災した国の**国家に役割と責任**がある。

（国際赤十字・スフィア基準「人道憲章」より）

つまり、避難者は援助の対象者（客体）ではなく、援助を受ける権利者（主体）として扱われるべきであり、その尊厳が保障されなければならない。これは避難者支援の根本原則とされており、人道憲章に続く個別の基準にも貫かれている。

たとえば、避難所の運営や援助の方法については、可能な限り避難者が決定プロセスに参加し、情報を知らされることが重要とされる。避難者の自己決定権が尊重され、その意向が反映されてこそ有益な支援が実現できるからである。

日本では、この視点が避難所運営に欠けていたために、供給する側と受け取る側とにギャップが生じた例が数多い。たとえば、衛生状態の悪い中古の下着が善意で寄付されたり、生理用品を求める声が行政に届かない事態も過去に起きた。自己決定権を尊重して意向聴取を重視すれば、こうした問題は解決しやすくなる。

あくまで自己責任を基調とする日本政府

前述の「人道憲章」は、援助を受けることを避難者の「権利」と明記している。それと対になるように、避難者を援助することは国家の「義務」となる。

日本では「権利には責任が伴う」、つまり権利を主張するからには責任も果たせなどと言われてしまうが、これは筋違いである。大切なのは「個人の権利のために、国家が義務を果たす」ことである。

良好な環境の避難所を設置して避難者の心身の健康を確保することは、国家が履行するべき義務である。劣悪な避難所をあてがうことは義務の不履行として批判されなければならない。

今の政府は、どう考えているだろうか。

内閣府が2016年4月にまとめた「避難所運営ガイドライン」にも、この国際赤十字の基準への言及がみられる。

しかし、「『避難所の質の向上』を考えるとき、参考にすべき国際基準」と紹介しているだけであり、援助を求めることの権利性や国家の責任については触れていない。

災害対策の基本法といえる「災害対策基本法」をみても、住民が「自ら災害に備えるための手段を講ずる」とか「自発的な防災活動への参加に努める」という自助努力を定める規定はあるが、住民が援助を受ける権利を有するという規定は存在しない。

内閣府が作成した避難所リーフレットをみても、国民が権利を有するという視点はなく、むしろ国民は避難所でルールに従いなさいと言わんばかりの記載に驚く。

避難者は作業や役割分担には参加せよと指示されるが、権利者として意思決定プロセスへ参加することは書かれていない。プライバシーのための間仕切りも、国が責任をもって用意するのではなく、「あると便利です」と案内して自費で用意させようとしている。

避難生活も生活再建も、あくまで「自己責任」が原則であるという政府の姿勢が見えて

【避難所生活】

生活ルールを守りましょう
- 起床や就寝の時間、トイレの使い方、喫煙場所、ペット同伴の可否など避難所のルールを守りましょう。
- ほかの人の居住スペースに立ち入ったり、のぞいたり、大声をあげたりするのはマナー違反です。

役割分担して運営に参加しましょう
- 避難者もできる範囲で、受け付けや清掃、炊き出し、物資の配布など役割分担をしましょう。
- 助け合いながら避難所運営に参加しましょう。

ベッドやプライバシー確保に努めましょう
- 段ボール型のベッドの設置は足腰の弱い方に有効です。
- プライバシーの確保のために間仕切り（パーテーション）などがあると便利です。

リーフレット「あなたのまちの避難所について」（内閣府）

くる。

人への支援か、物への支援か

避難者を含めたすべての個人が豊かな生活を送れる権利を保障することこそ、国家の責務であり存在意義である。一人ひとりの暮らしを直接に支える分野にこそ、優先的に国家予算を投入するべきである。

ところが、日本政府が用意する復興支援策は、別の方向を向いている。

たとえば、東日本大震災の復興予算として2011〜2016年度に支出された31兆円のうち、被災者支援に充てられたのは僅か6・3％（約2兆円）であった。これは医療・福祉・教育予算を含んでおり、これらを除いて被災者の手に届いた生活支援予算はおよそ3％（約1兆円）程度である。

そのほかの復興予算は、災害復旧や廃棄物処理、復興公共事業、原子力被害の除染作業、産業振興などに支出された。海上自衛隊が弾薬輸送に用いる輸送機（150億円）にまで、「災害対処にも使えるから」と復興予算を流用した。

このように、政府の復興予算は「人への支援」ではなく「物への支援」ばかりである。こうした国費の使い方に、被災者への姿勢がにじみ出る。

東日本大震災から10年以上が経過したが、「体育館で身を寄せ合う避難生活」の光景が当たり前のように、あるいは、我慢と忍耐の姿として報じられている。これを美談にしてはならない。この光景は、適切な援助を受ける権利を侵害されて尊厳を奪われた姿と捉えるべきである。この国の避難者支援の貧困を映し出し、日本の政治の問題点を浮き彫りにする光景なのである。

個人の努力でボランティア活動をすることは素晴らしい。それとともに、「政府は被災者へ十分な支援をせよ」と声をあげて求めること、それを通じて政治に変化を及ぼすこともまた、私たちができる被災者支援として大切なことだと思う。

女性に大人気「フクロウカフェ」のあぶない実態

岡田千尋（おかだ ちひろ）（NPO法人アニマルライツセンター代表理事）

1978年静岡県生まれ。2001年からアニマルライツセンターで調査、キャンペーン、戦略立案などを担い、2003年から同センターの代表理事を務める。畜産動物のアニマルウェルフェアの向上を中心に、衣類や食品として扱われる動物、動物園など娯楽に使われる動物を守るための活動やエシカル消費の推進を行い、2005年から開始した毛皮反対キャンペーンでは、15年間で日本の毛皮消費量を98％減少させてきた。ヴィーガンでエシカルな情報発信サイト『Hachidory』の運営も行う。
ウェブサイト：https://arcj.org/

初出：「現代ビジネス」2017年10月10日掲載

問題が多いアニマルカフェ

動物は簡単には死なない──。

たとえひどい環境であっても、食べ物と水があれば、ある程度の期間、生きることができる。しかし、自由がなく、習性や欲求を満たすことができなければ、動物は徐々に身体的・精神的にも追い込まれていく。

ストレスが人間の多くの病気に影響を与えていることは誰もが知る事実だが、同じことが他の動物にも言える。このことを考慮せず、簡単には死なないことを利用した娯楽が日本で広がっている。

フクロウなどの野生動物を利用した「アニマルカフェ」だ。

フクロウカフェでは、フクロウの足をリーシュという短い縄で繋いで飛べないように拘束し、様々な種類のフクロウを多数並べて展示する。

客は金を払って入場し、フクロウのそばに近づき、スマホで写真を撮り、触り、好みのフクロウを指名し、腕に乗せてみたりする。

フクロウは、バタバタと羽を広げ飛翔を試み、足の拘束を解こうとリーシュを噛むという行動を見せる。獲物を探すときや異変を感知した際に行う、首をぐるぐると回し状況を把握しようとする行為をすることもある。

その他の時間は周りで写真を撮り動き回る人間の行動や、室内の微妙な変化を見続ける。休憩を取るときは、フクロウの前に「休憩中」という張り紙がされるだけで、変わらず拘束され続ける。

客がフクロウカフェに滞在する時間は30分~1時間程度だが、フクロウたちは一日中そこに居続けなければならないのだ。

「かわいい」「癒される」……その裏側には多くの問題がある。私が代表理事を務めるNPO法人アニマルライツセンターが調査した16軒のフクロウカフェの実態を具体的に見ていこう。

元従業員の内部告発

アニマルライツセンターは、前年までフクロウカフェで働いていた元従業員からの内部告発を受けた。

そのフクロウカフェでは、1年間で約30羽のうち7羽が死亡した。元従業員はこのように述べる。

「動物は本能的に、体調が悪くてもそのような素振りは見せません。死んでいったフクロウたちもそうでした。

中には、急に止まり木から落ちて倒れるような形でそのまま死んでいった子もいましたが、倒れたときにはもう身体は固く冷たくなり始めていました。

本当にギリギリまで我慢していたんだと思います。死ぬ間際まで生きようとし、平常を取り繕っていたのです」

自然界では、フクロウを含め動物たちは体調が悪ければ身を隠し、ひっそりと体力の回復を待つ。そうしなければ捕食されてしまうからだ。しかし、フクロウカフェではそれができず、不調な上に緊張が続くことになる。

よく観察をすると、死ぬ前に不調がわかるフクロウもいたという。

「片足で過ごさず一日中両足で止まり木に止まっている、目を瞑(つぶ)っている時間が多くなりずっと寝ているように見える、肩で息をしている・息づかいが荒い——私が分かった異変は特にその3点だったと思います」

動物を多く飼っている飼育場では、飼育者は動物の苦しみに鈍感になりがちだが、フクロウカフェも例外ではない。

水が自由に飲めない

アニマルライツセンターの改善要望により水を置くようになったカフェもあるが、多くの場合水を自由に飲める環境にはない。

これは、糞尿が増えることや、「必要ない」という業者の都合の良い考え方による。動物は頻繁に水を飲むわけではないが、自分が必要とするときに飲めることが重要だ。

飛べない

「カフェ内を飛ぶとぶつかってしまい危険であるためフクロウのことを考えて拘束している」と業者は言うが、前提がおかしい。

オーストラリアのニューサウスウェールズ州では、メンフクロウの住居用の鳥小屋であれば1羽にたいして幅3メートル×長さ6メートル×高さ3メートルが最低限必要であると規定している。一方、日本のフクロウカフェでは、その広さの中に10羽、20羽と詰め込まれている。

飛ぶことを妨げるのは、適切な運動をさせないということであり、当然必要な筋力は衰え、ストレスが溜まる。環境省が定める基準でも運動をさせることが挙げられているが、守られていないところがある。

フクロウは日中ほとんど動かないから問題ないと業者は言うが、あなたなら自分の意志でベッドで休むことと、ベッドに縛られ拘束されることが同じだと思うだろうか。

配置場所が低すぎる

獲物を見下ろす位置で過ごすフクロウは、高い位置に巣箱や止まり木が設置されていなくてはならない。

前述のニューサウスウェールズ州の規定には

「止まり木や棚は最大限に飛行できる場所に取り付けること。少なくとも地面から2メートル以上にすること」とされている。

フクロウカフェでは人が写真を撮りやすい位置に配置され、ときには地べたに置かれてすらいる。

単独行動ができない

フクロウは単独行動をする動物だ。フクロウカフェではフクロウ同士が異常に近い距離で並べられ、顔を見合わす状態であったりもする。

さらには大小のフクロウが同じ空間にいるとなると、小さなフクロウは常に危険を感じ続け、緊張を強いられる。

店内は騒音だらけ

多くのフクロウが夜行性であるが、そうした動物の多くは聴覚がとても優れている。

フクロウも羽音やネズミがはう音などを敏感に感じとり、真っ暗な中で聴覚だけを頼りに動く獲物を狩れるほどだ。

ある程度の音には慣れることができるが、フクロウカフェでは異なる人々の笑い声や話し声、シャッター音が絶え間なく響き、これはフクロウにとって騒音にあたる。

明るい

夜行性の場合、目の構造が光を多く集めるようにできている。そのため、人間が感じる光よりも遥かに多くの光を感じ取る。しかし、フクロウカフェの多くは、人間に都合の良い明るさに保たれており、フクロウに適切な照度とはいえない。

見知らぬ人間に触られる

「ふれあい」と表現されるが、人間が一方的にその欲求に任せて撫(な)で回しているに過ぎず、触られるフクロウからすると強いストレスの原因でしかない。

温度管理が不適切

寒い場所に生息しているフクロウから、暑い場所に生息しているフクロウまでが一つの部屋に展示されているため、適切な温度管理が不可能な状態にある。寒い場所にいるべきフクロウはハァハァと荒い息を吐き続ける。

24時間365日カフェ住まい

客は1時間ほど過ごすだけで、店員も仕事が終われば家に帰り、休暇には旅行にも行ける。

しかしフクロウたちはずっとカフェに監禁され続ける。飛ぶこともできず、基本的に拘束されたまま、死ぬのを待っている。

アニマルウェルフェアとは何か

「アニマルウェルフェア（動物福祉）」という言葉を聞いたことがあるだろうか。ヨーロッパを中心に発展してきた科学的根拠を元にした動物の適正な飼育を規定するための言葉だ。

動物行動学や生態学にもとづいており、いわゆる飼育の「ノウハウ」や「愛情」などの感覚的な捉え方とは異なる。動物にはその動物本来の取るべき行動があり、それらの行動が阻害されると強いストレスを感じるのだ。

では、フクロウのアニマルウェルフェアはどう保つべきなのか。

弧を描いて飛べるだけの十分な広さ、高さの中に、複数の止まり木、水浴びができる人工の池や容器を用意する。他の種類のフクロウと同じ空間を避け、同じ種で空間を共有させる場合でも、お互いの視界を遮断できるようにする。拘束具などの装着物の使用は一時的のみに限定すること等が最低限必要であるとされる。

しかし、これはどうしても飼育をする場合であって、上記環境を用意しても十分とはいえない。

たとえばメンフクロウの行動範囲は５０００ヘクタール、東京ドーム１０００個分だ。これだけの広さを自由に行き来する動物を、人間の欲求のまま囲ってしまって本当によいのか。

また、犬や猫のように人間が飼育管理してきた歴史が長い動物以外は、デリケートでストレスを感じやすく、その飼育は綿密なルールのもとで行われるべき、もしくは、飼育自体行ってはならないものだ。

野生動物はたとえ人間に慣らされた個体であっても、人との生活はストレスになる。生態は数十年では変わらない。

自然との付き合い方を見直すとき

そろそろ苦しむ動物を見て楽しむことをやめるときではないだろうか。

フクロウカフェのような野生動物を利用したカフェは、「かわいければどの動物もペットにしてよいのだ」「自分が楽しむためであれば他者を拘束したり習性を無視したりしてよいのだ」という誤ったメッセージまでをも発してしまう。

私たち日本人は、殴る蹴るなどの暴力には敏感だが、ネグレクトや拘束など静かな虐待には鈍感だ。アニマルウェルフェアの考え方を知らないだけでなく、自然や動物本来のあり方や尊重するという考え方から遠ざかってしまっているためではないかと思う。

お隣の台湾では、フクロウをペットや撫でる対象にすることが禁止されている。世界からは、拘束具が残酷であるという声があがり、日本人は野生動物との付き合い方を誤っていると捉えられ、批判の的にもなっている。私たちアニマルライツセンターにも、外国人観光客からのアニマルカフェや動物園についての通報が後を絶たない。

外国人観光客の誘致は日本経済のためには必要なことだろう。であるならば、早急に野生動物を利用したカフェを終息させ、娯楽のあり方を見直すべきであろう。

最後に、フクロウはその大きくてくりっとした目でまっすぐ人を見るため、あなたは

「かわいい」と感じるかもしれない。しかしまっすぐ人を見据えるのは、眼球を動かす能力がないためであり、けっしてあなたのことが好きだからではない。

性暴力加害者と被害者が直接顔を合わせた瞬間…一体どうなるのか

藤岡淳子（ふじおかじゅんこ）（大阪大学名誉教授）

臨床心理士、博士（人間科学）。上智大学文学部卒業、同大学大学院博士前期課程修了。法務省矯正局、府中刑務所分類審議室首席矯正処遇官、宇都宮少年鑑別所鑑別部門首席専門官、多摩少年院教育調査官などを経て現職。著書に『性暴力の理解と治療教育』（誠信書房）、『非行・犯罪の心理臨床』（日本評論社）、『アディクションと加害者臨床――封印された感情と閉ざされた関係』（金剛出版）など多数。

初出：「現代ビジネス」2018年8月22日掲載

性暴力加害者と被害者が話す場所

性暴力は私たちの心をひどくざわつかせる。

加害者を恐れる気持ち、被害者に同情する気持ち、そしてどちらも平穏な日常生活からは遠ざけたい気持ち。

しかし、現実には、性暴力は、日常生活の中にある。

英語で「部屋の中の象」という言い回しがあるが、部屋の中に象がいて怖いし、身動きとれず、どうすればよいのか分からず、まるで象などいないかのように皆が振る舞うことを意味する。

その「部屋の中の象」を見る試みが先日大阪で行われた。性暴力の被害者と加害者、そして支援者が集う「えんたく」の開催である。

「えんたく」とは、「多様化する嗜癖(しへき)・嗜虐(しぎゃく)行動からの回復を支援するネットワーク（通称ATA-net）」が推奨している嗜癖・嗜虐行動からの回復と回復支援のネットワーク作りを進める方法の一つだ。

ひらたく言ってしまえば、嗜癖・嗜虐行動を持つ当事者と家族・支援者そして市民などが集まって直接顔を合わせ、率直に語り、聞いて、互いの理解を促進して、回復のカギとなるつながりを作っていくことを目的としている。

嗜癖・嗜虐行動は、孤立の病と言われ、よいつながりの中で居場所と安心・安全感を持てることが回復を支えるからである。

今回の（性暴力）被害者・加害者・支援者（以後ＶＯＳと略称）えんたくは、ATA-netのうちの性問題行動を担当するユニットが実施した。

加害者はどう生きてきたか

最初の90分間は、性被害体験のある女性3人（以後Ｖと略称）と性加害体験のある男性3人（以後Ｏと略称）が会場の中央に輪になって座り、その外側を聴いてくれる参加者たちが囲む。

まず、Ｖグループの進行役（ＦＶ）が、Ｖの一人ひとりに7〜8分程度話を聞いていく。他の人たちは黙って聞く。次いで、Ｏグループの進行役（ＦＯ）が同様にＯの一人ひとりに話を聞いていく。これを3往復行う。

最初のターンで、Ｖの人たちは、子ども時代に近所のおじさんから、あるいは自分の父

えんたくの図

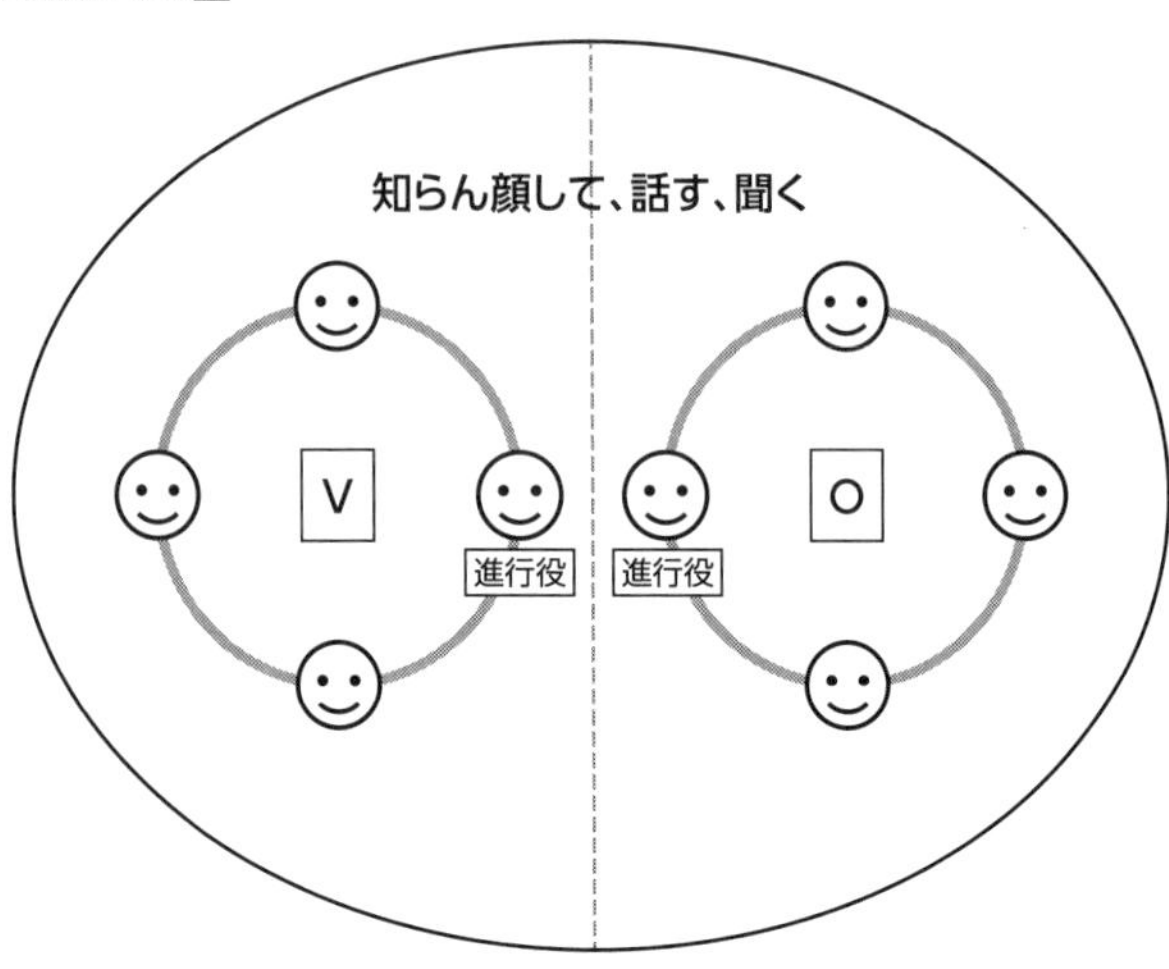

親から、成人してから、激しい身体暴力を伴う見知らぬ人から、といった性暴力被害体験を率直に語った上で、V同士が共感的に語り合える場を持てることのありがたさや、被害を受けた上に、周囲の人たちから言われた「被害者の落ち度」といった言葉に傷ついた体験を共有した。

Vの声を聞いた後で、同じ場にいるOたちが発言するにはかなりの勇気を必要としたであろう。

それでも痴漢、のぞきで複数回逮捕されたこと、逮捕されてはいないが、娘に手を出しかけたこと、女性との放逸な性関係を持っていたことを、率直に語るとともに、この場にいることが裁かれているようで怖いと正直に心情を述べたOもいた。

Vグループと0グループの話を聞いて、Vと0が感じたこと考えたことを聞くために、再度、進行役から各人に聞いていく時間をとる（第2ターン）。

Vの人たちは、被害を受けた後行ってしまった自身の家族への加害行為について語り、0に「分かってほしい」「想像してほしい」、今はしんどい気持ちと向き合いたくないので、0のことは無視しているなどと述べた。

それを受けて0は、性暴力を振るっていたころの自己中心性や考え方の誤り、生活の状態、当時の家族関係の中で悩んでいたこと、自身の弱点を振り返り、どのようにして自分が性暴力行為に陥っていたか、自分と対話しながら生きていると語る人がいた。

裁かれている気がしたと最初のターンで述べた0は、「じゃあ、何せえって言うんや」と一時逆切れした感じになったけれど、「知って、分かってほしい」と聞けて納得できたと語った。

場をつくるまでに4年かかった

最後の第3ターンでは、Vからは、怒りはずっとあるが今はそれを理解して統制しようとしている、加害をした父はなんでこんなことをしたんだろう、家を出て、人に相談したことで自分は変わっていきたい、Oの話も2回目になって本音でしゃべっていると入ってきた、加害が衝動とかでかたづけられるのはつらいので想像してたまにでも思いをはせて、歯止めにしてほしいといったことが述べられた。

Oは、幸せになっていいのかなという気持ちはあるが、こういう人間になりたいというのはあって、毎日自問自答しながら生きている、この場にいるのは勇気が必要だったが、直接Vの話が聞けてよかった、娘が痴漢にあったときのことを思い出した、自分はOの中にいたけど、Vの中にもいた、被害と加害はどこかでつながっているのかもしれない、といったことを述べていた。

ここで話をしてくれたVもOも、一般社団法人「もふもふネット」のグループや自助グループでたくさん語り、聴き、自身の気持ちや考えに気づいて、それを言葉で人に伝えることができるようになってきた、回復の道を歩んでいる人たちである。

もふもふネットで、OとVのそれぞれのグループを開始して、VとOが同じ場にいてそれぞれの思いを語り、相手の思いを聴く場を設定できるまでに4年を要した。

被害者に沈黙を強いているもの

現在でも、特に被害者の支援者たちは、加害者と関わることを忌避する傾向が強い。それどころか加害者の支援者たちとの関わりさえほとんどない。

例えば、被害者支援をしている人は、刑務所などで処遇カウンセラーとしての立場を得て加害者の教育に携わっていることを内緒にしていることも多い。「裏切り者」扱いされかねないからだという。

被害者たちは、「知ってほしい」「想像してほしい」と言う。私たちの社会は、被害者の声に耳を傾ける社会になっているだろうか？

性加害をした人びとを一人の人間であることを排除して、いっしょくたに「モンスター」と扱っている傾向はないだろうか？

しかし、性暴力行動を行う人たちの考え方の大元は、今の世の中の考え方から来ている。物を盗むことや、人に身体暴力を振るうことに言い訳は通りにくいが、男性は性衝動を我慢できない、性風俗や暴力的なアダルトサイトにはまるのは仕方ないといった考えがなぜまかり通ってしまうのだろう？

男性は、性衝動もコントロールできないような情けない存在なのだろうか？

この「えんたく」に参加した人たちは、VとOの両方の声によく耳を傾け、場を安心で安全なものとして支えてくれた。最後のフロアと当事者たちの会話では、フロアの女性の多くから、自身の性被害体験が開示された。

それほどまでに日常の中にある性被害体験は話されることが少ない。彼女たちに沈黙を強いているのは何なのだろう？　それこそ、加害行為を促進しているものなのではあるまいか？

被害者、加害者というよりは、性被害体験、性加害体験とその後の人生について、私たち一人ひとりがじっくり耳を傾けるべきときが来ていると思う。

そこには、私たちが私たちの生き方を考える上で大切な宝がたくさん埋まっている。

「差別」とは何か？アフリカ人と結婚した日本人の私がいま考えること

鈴木裕之（すずき ひろゆき）（国士舘大学教授）

国士舘大学教授。慶應義塾大学卒業。文化人類学専攻。アフリカ音楽・文学を研究。著書に『恋する文化人類学者――結婚を通して異文化を理解する』（世界思想社）、『ストリートの歌――現代アフリカの若者文化』（世界思想社、2000年、渋沢・クローデル賞〈現代フランス・エッセー賞〉受賞）、『アフリカン・ポップス！――文化人類学からみる魅惑の音楽世界』（川瀬慈と共編、明石書店）などがある。

初出：「現代ビジネス」2018年2月22日掲載

「差別は悪い」は本当か

あらゆる分野で「多様性」という理念が尊重されている現代。あたかもそれとセットであるかのように、さまざまな「差別」という現実が世間を騒がせている。

差別とは古くて新しい問題。人間社会の鬼門である。

では、差別は悪い――。これは本当だろうか。

新約聖書にある有名なエピソード。

人々が姦淫（かんいん）の罪を犯したひとりの女を捕らえ、律法に定められているとおり石で打ち殺すべきかと問いかけたとき、イエス・キリストが言った。

「あなたたちの中で罪を犯したことのない者が、まず、この女に石を投げなさい」（新共同訳）

結果はあきらかである。イエスと女本人を残し、すべての者が立ち去っていった。

罪の告発と、自分の心に罪があるかどうかは、別の問題である。はたして私たちの中に、差別感情を持ったことのない人など、存在するのだろうか。人種、民族、国民、地域、都道府県、市町村、学校、偏差値、性別、職業、貧富……私たちのまわりには、差別の対象となりそうなありとあらゆる指標が満ちあふれている。

「黒人」の側に立つ

黒人差別というのは、もっともわかりやすい事例のように見える。

15世紀から19世紀まで続けられた奴隷貿易、アメリカの公民権運動、アレックス・ヘイリーの『ルーツ』、ジャマイカのラスタファリ運動、ボブ・マーリーの活躍、南アフリカのアパルトヘイトとネルソン・マンデラ……ここ、極東の国にいる私たちのもとに、文字で、映像で、サウンドで、黒人に関する情報が届けられ、そして私たちは想う。

「ああ、悲劇の人種、黒人」

「自由を求めて戦う黒人」

「苦悩する黒人たちに幸あれ」

では、この「黒人＝差別の被害者」というイメージは本当だろうか。

ここで、簡単に自己紹介をさせていただこう。

私はアフリカ音楽を研究する文化人類学者であり、妻はアフリカ人の歌手である。コートジボワールのアビジャンで恋愛し、現地で伝統的な結婚式を挙げ、今は日本とアフリカを往復しながら、私は研究し、妻は音楽活動を展開している。

黒人と結婚するとはどういうことか。それは、私が「彼らの側」に位置する、ということである。恋愛と結婚は違う。結婚とは、正式の手続きにのっとって姻族関係を結ぶということ。相手の親族とのあいだに権利・義務関係が発生するということ。褐色のカワイイ女の子とちょっとイチャついて、やがて別の娘に乗り換える、というのとはわけが違う。そのことをもっとも敏感に感じとるのは、彼ら自身である。

結婚する半年ほど前、私はレゲエの調査でジャマイカに赴いた。そこである老舗の音楽グループのもとに居候することになったのだが、私を受け容れるかどうかをメンバーが話しあった時のこと。

円座を組んで議論する長老たち。私は少し離れたところに座り、様子をうかがう。どうも、リーダー格の男が難色を示しているようだ。白い顎ひげを蓄えた眼光鋭い彼を他のメンバーたちが説得している。すると、すでに親しくなっていたあるメンバーが手招きして私を呼ぶ。「おまえ、アフリカ人のフィアンセがいるんだよな」。私は頷いて、カバンから1枚の写真を取りだす。

白いテーブルの前に満面の笑顔で腰掛ける黒人女性。真っ白な歯並びが印象的だ。そして、その真後ろに立つヒゲ面のアジア人男性。

私たちのツーショット写真をみながのぞき込む。すると、例の厳しい面持ちだった男の顔が満面の笑顔へと変化し、私を正面から見据えながらこう言うのであった。

「ノー・プロブレム」

写真は、まさに通行手形であった。

このとき見せた写真

これは婚約時代のエピソードだが、結婚後はさらに同胞扱いが加速する。

「結婚」という言葉には、彼らと死ぬまでいっしょにいる覚悟を持ち、挙式という煩雑な手続きをクリアし、その後の面倒くさい親戚関係を継続する、という意味が込められている。彼らは敏感にそのことを察知し、私をリスペクトしてくれる。私は、たしかに「黒人の側」の一角に場を与えられたのである。

差別は常態化しているもの

その後、私は親戚づきあい、友人づきあいを通して彼らの世界に組みこまれ、内側からその「ニュアンス」を習得していった。そこで印象深かったのは、彼らの世界はさまざまな差別で満たされている、ということである。

まずは、アジア人に対する差別。道を歩けば、子どもたちが「シノワ」（仏語で「中国人」）と騒ぎたてる。心ない大人が「ヒーハー、ヒーハー」（中国語の「ニーハオ」の真似）と言いながら侮蔑の色を隠そうともしない。彼らにとってアジア人はみな同じ顔をしており、一昔前まではアジア人に関する情報はブルース・リーなどのカンフー映画に限られていた。

黒人はみな同じ顔をして裸で踊っている、と思っている日本人がいるように、アジア人はみな中国人であり、奇妙な言葉をしゃべる、自分たち以下の人間であると考えるアフリカ人は多い。

ただし、高度経済成長とテクノロジー大国という「昔取った杵柄（きねづか）」のおかげで、日本人であることがわかると、侮蔑は尊敬へと一変する。

国民どうしの差別も存在する。

かつて主要産品であるコーヒーとカカオの好景気で経済的に豊かになったコートジボワールには、近隣諸国からたくさんの移民が流入してきた。アビジャン人口の4割近くはそうした外国人である。経済格差や歴史的経緯などを反映して、その関係はときに差別的となる。

たとえば、その多くがプランテーション農場の労働力として移住し、都市部ではボーイや家政婦として働くことの多いブルキナ・ファソ人に対し、たいていのコートジボワール人は上から目線である。

あるレバノン人の経営する美容院のエアコンが漏電し、店先の配線に触れた女の子が感電死した事故があったときのこと。

仏語圏アフリカでは多くのレバノン人が移住し、その同胞ネットワークと資金力にものをいわせて経済を牛耳っている。普段から嫌われ者のレバノン人がこんな事故を起こしたのだから、さぞかしひどい目に遭わされるのだろうと思ってみていると、みな妙に冷静である。

警官が黙々と事情聴取をおこない、人々は好奇の眼でそれを見つめる。するとどこかから、こんなささやきが聞こえてきた。

「娘がナイジェリア人だったからよかったけど、もしコートジボワール人だったら、あのレバノン人、ただじゃ済まなかったぜ」

私は唖然として、その場を立ち去った。

アフリカでは国民のほかに民族という単位が重要であり、これがまた差別感情を生みだしている。

多民族国家であるアフリカ諸国では、あきらかに言語、文化、歴史が異なる人々が共住している。東京と同じく、各地方からやってきた人々で満ちあふれるアビジャンは、当然ながら多くの異なる民族でごった返す。国内に約60の民族を抱え、そこに近隣諸国からの諸民族が合流する。それが豊かな音楽文化、服飾文化、食文化などを生みだし、メトロポリスとしての魅力となっているのだが、この「豊かさ」は容易に差別へと転換する。

コートジボワールは2002年から国内を南北に分けた内戦を経験している。もちろんこれは複雑な政治的対立の結果であるが、多分に民族対立の要素を含んでおり、さらに北部＝イスラム教、南部＝キリスト教という宗教対立の様相も呈していた。

差別という「憑き物」を落とす

人種、国民、民族、宗教……私の体験したアフリカは、さまざまな差別の契機を内包し、時にそれが言動として表面化することが多々あった。「身内」として受け容れてもらった私は、かなりヴィヴィッドにそれを感じることができたように思う。

だが考えてみれば、これは日本とまったく同じ状況ではないだろうか。黒人系が活躍するのはお笑いかスポーツという現状（人種）、難民も含めた外国人移民への消極的態度（国民）、在日韓国・朝鮮人に対するヘイトスピーチ（民族）、そして仏教を除くあらゆる外来宗教への違和感。

私は日本以外では、コートジボワールのアビジャン、その次にフランスのパリでの経験が長いが、そこで理解したのは、どこにいっても差別は存在するということだ。それは人間の「常態化」した習性であるようにも見える。それに対し、ヒューマニズムに基づいた「差別反対」の言説の響きは、あまりにも弱々しい。なぜだろう。

ここで少し、学問的な説明を差しはさむことをお許しいただきたい。

まず「差別」を「分割」と言い換えてみよう。ヒトは連続体を分割し、それぞれを差異化し、そこに意味を付与して世界を構成する。

たとえば時間は連続して流れてゆくが、日本人はそれを朝、昼、夜に分け、「おはよう」「こんにちは」「こんばんは」と挨拶の言葉を使い分ける。

色は光の反射であり、本質的には連続したグラデーションであるが、人間はそれを有限の種類に分けて認識し、さらに赤と白は「祝」、白と黒は「喪」などと勝手に意味を付与する。

この分割の仕方と意味づけの仕方が社会・文化によってさまざまであるということは、文化人類学がたくさんの事例を積みあげながら、実証してきた。

次にヒトが動物であることを思いだしてみよう。多くの動物は群れをつくり、縄張りを持ち、集団とテリトリーを守るために争う。私たちも同じであろう。

ヒトは分割して、群れて、安心する。そして人間集団を分割する際には「われわれ／他者」という基準に沿って、状況にあわせた線引きがおこなわれる。そこに付与される意味は、当然「われわれ＝優／他者＝劣」ということになるだろう。

私の妻が日本でアフロ・アメリカンと会えば、おなじ「黒人」として共感する。だがアフリカ系とアメリカ系の利害関係が生じる場面では、両者は別ものとなる。アフリカ人同士でも、西アフリカか東アフリカか、仏語圏か英語圏か、どの国か、どの民族か、果てはどの村かによって群れる範囲は異なってくる。こうした行動様式と心の動きは、きわめて自然なように思える。

問題は何か。

このきわめて自然におこなわれる「分割＝差異化＝意味付与」のプロセスが、人間集団の分類の際には、しばしば他者を傷つけ抑圧する（極端な場合には殺戮（さつりく）する）行為に結びつく、ということであろう。そして、現代の差別反対運動は、人類の犯してきた過ちを繰りかえさないために、という善意に基づくものであろう。

そのことに私は何ら異を唱えるものでもないし、アフリカ人と日本人との間に生まれた我が娘の未来のためにも、差別のない世界を望んでいる。ただひとつ思うのは、一方的な正論の押しつけは、あまりにも無力であるということだ。

昨年の夏に、妻とコートジボワールに里帰りしたときのこと。

パリで飛行機を乗り継ぐ際、空港内でパスポート・コントロール（出入国審査）があった。あるゲートに20人ほどが列をつくり、すこし大柄な女性職員がパスポートをチェックしている。

妻の番が来ると、職員は「ひとりなの？」とやや硬い口調で質問してきた。パリの空港ではテロの影響もあり、セキュリティ関連の仕事に就く人々はつねに緊張している。妻が、「いえ、夫と一緒です」と答えると、彼女は列に並ぶ人を見渡しながら怪訝そうな顔をして、少々怒ったように「どこ⁉」と聞き返した。

妻がすぐ後ろに並んでいる私を指さすと、彼女は一瞬眼が点になったように私を見つめ、すぐに恥ずかしげに、はにかんだような笑顔を浮かべた。

女性職員は列を眺めたとき、無意識のうちに黒人男性を探したのである。だが黒人はひとりもいなかった。

この女の言っていることが分からない。怪しい、そう思ったことであろう。そして夫がアジア人であると知ったとき、彼女は自分が囚われていた先入観に気づいた。

黒は黒、白は白、黄は黄……こうした指標にしたがってロボットのように機能していた彼女の心の中で、別のレベルの意識が目覚めた。その意識はこうささやいたに違いない。

「人間だ」

そして彼女はバツが悪そうに笑った。その罪のない笑いは私たち夫婦に伝染し、3人は楽しそうに微笑みを交わした。まるで悪い憑き物が落ちたかのように。

あらゆるレベルでの差別を告発し、社会の仕組みを変えてゆくことは必要であろう。だが、制度よりも「心の動き」が大切であることを忘れてはならない。

差別を生みだす精神構造は私たちみなが持っている。ヒトはその置かれた環境におおきく左右される動物であるから、差別主義者を攻撃するのではなく、差別が生みだされる環境を理解しなければならない。

人の心には、善も悪もある。天使も悪魔も、仏も鬼も棲んでいる。それらをどう飼いならすか。差別という「憑き物」をどう落とすか。

必要なのは抽象的な理念でも大袈裟なイデオロギーでもなく、人と人とのコミュニケーションの中で「落ちる」瞬間を具体的に体感し、その経験を積み重ねて、自身の心の中に自由な空間を広げてゆくことなのだ。

ジャマイカのガンコ爺さんと、パリの女性職員の笑顔を思い出しながら、私はそう確信するのである。

私が「美しい」と思われる時代は来るのか？“褐色肌、金髪、青い眼”のモデルが問う

シャラ ラジマ（モデル）

モデル・文筆家。バングラデシュのルーツを持ち、東京で育つ。国籍や人種の区別にとらわれない存在感で、「人種のボーダーレス」をコンセプトに活動している。2020年にはLOEWEのキャンペーンモデルに抜擢された。独自の路線で多様なメディアで活躍中。

Instagram：https://www.instagram.com/lalazima_/

Twitter：https://twitter.com/lalazima_

初出：「現代ビジネス」2021年4月27日掲載

私の名前は、シャラ ラジマ。

私は色白でアンニュイでもなければ、身長も圧倒的な細さもない。あるのは「コンセプト」だけだ。

ジェンダーレスなビジュアルが当たり前になってきた時代に、私は褐色の肌に、金髪、青い眼というような容姿で、人種のボーダレスを表現したビジュアルでモデル活動をしている。ジェンダーレスと同じくらい、人種のボーダレスもこの先進的な時代には重要な軸になってくるものだと思っている。

私のルーツは西洋とも、東洋とも呼ばれない間のインド系（正確にはバングラデシュ）だが、私の人種的な側面に美的価値を生みたいとは思っていない。自分の生まれたままの容姿で何かをするなら私はモデル活動を選ばない。

PHOTO by REI

では、なぜこの活動をしているのか。それは、白人よりも黒人、何人よりも何人という人種の美の優劣、その流行から解放されるような未来のためだ。決して特定の人種の美しさを提示したいわけではない。この容姿を意味を込めて作って、世に広める必要がいま私たちが生きる現代にはあると信じている。

イメージを表現することは私にとって楽なことではなかった。このような自分にとって不得意なことをしていくのもそうだし、そもそも私自体がコンセプトであるため、そのための技術を学んで、コンセプトを変えないラインで追いつける限りの努力をした。

その過程で必然的に魅力についてよく考えるようになった。私はそのままでは美しくなかったから。より正確には、そのままで美しいかどうかを誰も図る基準を持っていなかったため、私が美しいとされる世界をまだ知らなかったからだ。これからそうした世界がやって来ると信じて動いた。

「もう少し色が白かったら美人だったのに」

人種と文化の違いで南アジアの価値観を理解している方は珍しいと思うが、南アジアでの色白信仰は日本のそれとは比べ物にならないほど根深い。

だいぶ簡略化した説明になってしまうが、インド大陸では古代の歴史を遡ると、原住民族である南方に住むドラヴィダ系の人々を北方から来た色の白いアーリア人が支配してインダス文明が始まった構造があり、古代から白が黒を征服して来たし、そこから混じり合って出来た人種だ。

私は家族の中でも色黒で、「もう少し色が白かったら美人だったのにねえ」と、遠い親戚などに何度も言われてきたが、幼い私はそれだと何がいけないのか理解できないでいた。女の子の美しさはその造形や醸し出す雰囲気ではなく、肌の色の濃淡で決まっていた。

また受験勉強をしていた頃、世界史の本を読んでいて、新大陸が発見された時の一説として、中南米の原住民族が彼らにとっての異邦人であったスペイン人を受け入れたのは、メキシコ古来の宗教に「白い神の伝説」があったからだという話を知り、黒が悪とされないことはこの地球史上でもあったことがないのか？　と疑問に思った時もあった。

私にとってこの肌の色を気にしないとか気にするではなく、この肌がどういう価値基準を持って、現代で価値があり得るのかというところから考えなければならなかった。

こういうあり方が素敵！　とただ言われるだけでは私自身は納得できないし、有色人種の私にとっては他人事ではなくて、あまりに私事だったので、真正面から向き合って論理的に考えていった。

新しい価値観は言葉だけでは伝わらない

私が魅力的とされない限り、私が保持している思想、支持しているカルチャーが危険に晒されてしまうかもしれないという気持ちでそれを守っているし、いま現在している表現活動も意味をなさない。

私が美しいのかどうかはわからなかったけど、これが美しいとされる時が来れば良いなと思って努力し続けたし、これからももっと努力し続ける。私の後に生まれるであろう、未来に生まれるであろう、近しい境遇の人々やこの先の私たちの子孫の価値観の変容に繋がればいいなと思っている。

新しい価値観の容認は、言うだけで伝わるものではない。もちろん言論で唱え続けることは大切だけど、最終的にはデザイン的に組み込まなくてはならないと感じている。

誰かが言ったからそうなるものでなくて、サブリミナル的に聞いて、見て、感じて自然に入ってきたものが大きな変化に繋がる。実社会で起きていることの方を私たちは信じるし、身体性を持って感じとる。そういう効果として私はこの活動をしているし、肌にゆっくりよく馴染んでいけば嬉しいと思っている。

私は水のようにこの社会に馴染んでいきたい。そのためには違いの部分よりも、みんなと繋がっている部分を際立たせていきたいし、私がみんなと繋がっていられるのはこの日本語とこの国で学んだ、カルチャーの部分だ。

日本人のカルチャーへの許容、文化的豊かさは総合的に見てもとても高いと幼い頃から感じていた。

美術の時間に周りが普通に好きな絵を描いている環境に驚愕した。友人とプリクラを撮り、その写真にデコレーションを施すセンス、交換日記の中で描かれるイラストのクオリティの高さに文化レベルの違いが浮き彫りになっていた。

それまでの私は絵を描いたこともなければ、日々いかに多くの掛け算を暗算できるか、いかに多くの英単語を暗記し、英作文を書けるかということしか学んだことがなく、芸術や文化の豊かさを一切知らなかった。

大人になった今でも、日本では作る仕事をしていない人も、陶芸や美術などに一定の興味を持っているし、例えば食文化の豊かさは、その文化的素養の高さを一番象徴している。

そんな文化的素養と側面を学ばせてくれ、クオリティの低いものからクオリティの高いもの全てを体験できる豊かな環境を提供してくれた、「東京」という街がなければ今の私はないだろう。

イメージとして消費される人種や多様性

私がベースとしているこの人種の話は、差別されたことを訴える話ではない。人類は次の段階の議論に行くべきで、私のような立場の人と先住民の融合のためで、共生するための話だ。私たちは次の人種ピラミッドのトップの席を奪い合っている場合ではない。その人種のピラミッド自体をどうすれば崩すことができるかを考えなくてはならない。

現状、このような人種や多様性の話はファッションの中ではイメージでしか捉えられておらず、表象的に語られてしまうし、すでにそういうことに関心がある感度の高い若者の中をぐるぐるするだけで、彼らは日々理解を深めてくれるが、もっと具体性を持っていて、現実の広い層の人にリーチする手段を探していた。

もっというと、現実社会の人に、「人種などの話をする人＝過激」的なイメージがあると私は感じているが、それは過激なことを言っている者ばかりが目立ってしまっているだけで、そうではなくて、私たちは自分たちを再認識し、調和という形を望んでいる層も存在することを届けたい。

被害者が被害の声をあげること自体やその権利は第一に尊重されるべきだが、このまま全員が全員過剰に反応したり、対応したりしていると、私より下の世代の、未来の同じ立場の混血の日本人、移民の日本人が、自分たちのような立場は過激な対応をして、差別されたと訴え続け戦うしか道はないと勘違いしてしまう。

もちろん酷い差別を受け、一生治らないような経験をしたものも居ると思う。いま現在、人種的な差別は確実に存在するし、私も経験したことがある上で絶対に否定できない。同じ立場の人々が過去に被害の声をあげ続けその権利を獲得したおかげで、私は今ここで文章を書く権利を与えられていると言っても過言ではない。

だが、何でもかんでも揚げ足取りのように、傷つけられた!! 差別!! と言葉の本質を捉えずに騒ぎ立てることは私たちにとっても、現在まで人権を獲得するために声をあげ続けてきた先人たちにとっても、同じアプローチを繰り返している構造になってしまい、良い結果を生まない。

寛容になるのは日本人側だけでなく、混血や移民の私たち側も同じだ。日本人にばかり寛容を求めるのでなく、自分も同じく彼らに対して寛容になっていかなければ、相互作用は生まれず、私たち「異種」の存在は一生この国において成立しないだろう。

時代の「バロメーター」として

私はここで人種差別の話をしているが、様々な差別は日本だけでなく世界各地で起きている終わりが見えない問題だ。その理由として、あまりに簡略的にデータ化された情報社会の影響が大いにあると感じている。

現代社会の中で私たちは目に見えないものや言葉にできないものをほとんど信じなくなった上に、要素を簡略的に抜き取ってカテゴライズすることをしすぎてしまって、大衆はその枠を越えて考えることが難しくなってしまっている。

カテゴライズ化、パターン化、簡略化は物事をわかりやすく、はっきりと、効率的にしてくれるため、現代における得は多いけど、全ての概念と価値観がより一面的で、より狭義的になってしまう。

多くの物事を、事象を時には嫌い、時には好きになったりしながら、容認し続けることはとても大切で、大変で、それをしなければ、これからの人類を傷つけ固定化し、柔軟性を奪い身動きを取れなくしてしまう。

だから私は言論だけ、表象だけでなく、このような容姿を使った非言語的（身体的）な活動をベースとして、文章で言語的に伝えるという、二つを並行して活動している。実体と概念の間にある目に見えないことも包括して伝えていきたいのだ。

それが可能かどうか、どのような形になるかはわからないが、「自分の人生」を使ったインスタレーションを試みている。私のこれからの露出度や受け入れられ方によって、この時代の位置を測ることができる——そんなバロメーターのような存在になりたい。

これはとても概念的なことで理解されづらいが、枠組み通りの言論しか正しいとされず、訴えて戦うしかない時代から、その先に行かなくてはならないと強く思っている。

統一性を求めすぎている世の中で、私たちには戦う以外にも方法があるということを、このコンセプトを通じた活動で伝え、変化を象徴する存在になりたい。

私は時代の比喩であり、事実として存在している。

N.D.C. 360　222p　18cm
ISBN978-4-06-531958-1

講談社現代新書　2703

日本の死角

二〇二三年五月二〇日第一刷発行　二〇二三年九月一三日第七刷発行

編　者　現代ビジネス　© Gendai Business 2023

発行者　髙橋明男

発行所　株式会社講談社
　東京都文京区音羽二丁目一二―二一　郵便番号一一二―八〇〇一

電　話　〇三―五三九五―三五二一　編集（現代新書）
　　　　〇三―五三九五―四四一五　販売
　　　　〇三―五三九五―三六一五　業務

装幀者　中島英樹／中島デザイン

印刷所　株式会社KPSプロダクツ　　図表制作　株式会社アトリエ・プラン

製本所　株式会社国宝社

定価はカバーに表示してあります　Printed in Japan

「講談社現代新書」の刊行にあたって

教養は万人が身をもって養い創造すべきものであって、一部の専門家の占有物として、ただ一方的に人々の手もとに配布され伝達されうるものではありません。

しかし、不幸にしてわが国の現状では、教養の重要な養いとなるべき書物は、ほとんど講壇からの天下りや単なる解説に終始し、知識技術を真剣に希求する青少年・学生・一般民衆の根本的な疑問や興味は、けっして十分に答えられ、解きほぐされ、手引きされることがありません。万人の内奥から発した真正の教養への芽ばえが、こうして放置され、むなしく滅びさる運命にゆだねられているのです。

このことは、中・高校だけで教育をおわる人々の成長をはばんでいるだけでなく、大学に進んだり、インテリと目されたりする人々の精神力の健康さえもむしばみ、わが国の文化の実質をまことに脆弱なものにしています。単なる博識以上の根強い思索力・判断力、および確かな技術にささえられた教養を必要とする日本の将来にとって、これは真剣に憂慮されなければならない事態であるといわなければなりません。

わたしたちの「講談社現代新書」は、この事態の克服を意図して計画されたものです。これによってわたしたちは、講壇からの天下りでもなく、単なる解説書でもない、もっぱら万人の魂に生ずる初発的かつ根本的な問題をとらえ、掘り起こし、手引きし、しかも最新の知識への展望を万人に確立させる書物を、新しく世の中に送り出したいと念願しています。

わたしたちは、創業以来民衆を対象とする啓蒙の仕事に専心してきた講談社にとって、これこそもっともふさわしい課題であり、伝統ある出版社としての義務でもあると考えているのです。

一九六四年四月　野間省一